JN013021

▲崖の向こうはグァディスの町。洞窟住居は手前の谷間に散在する

◀崖の下の住居は洞窟につづく（アルマンソーラ）

◀谷間の起伏のふもとに洞窟住居（グァディス）

▶ジプシーの馬喰の馬囲い。背後は洞窟につづく（グァディス）

◀洞窟住居の入り口（グァディス）

▶谷底の廃坑が洞窟住居に。今は廃墟になっている（グァディス）

▲洞窟住居の寝室（グァディス）

▲フランス人が住む洞窟住居の食堂（グァディス）

▲洞窟ホテルの内部（グァディス）

▲洞窟ホテルの通路（グァディス）

▲洞窟にもシャワーが付いた（グァディス

◀洞窟は修理して生まれかわる（グァディス）

▼パリから来た一家が暮らす洞窟住居の子ども部屋。

▲闘牛は今も人気（セビーリャ）

▲セビーリャのタブラオ（フラメンコ劇場）のフラメンコ

▲山羊や羊のチーズはラ・マンチャの特産品

▲保存食の生ハムはブタの太もも

▲夕陽が沈むラ・マンチャ。頂上は風車

アンダルシアの洞窟暮らし

「もたない」「ゆったり」「自由」が満たされる世界

Ohta Naoki
太田尚樹

青春出版社

まえがき

おだやかな地中海に面したスペイン、南仏、イタリア、ギリシャなど南欧の国々では、気むずかしい表情など見ることが少ない。実際、燦々と輝く太陽の下で、人々はゆったりとした生活のリズムを守りながら、温和な表情を浮かべている。

人間の表情は通常、気候風土と深くかかわっているが、自然と対抗し、共生したりする際の人間側の姿勢に大方依存しているようである。

同じ地中海に面した南欧のなかでも、とくにスペインは、伝統的に大地に根を張った農村型で、牧畜のほかにぶどうやひまわり、オリーブ栽培などなど、いずれも時の移ろいに合わせた、自然と共生している姿そのものである。

自然との共生でいえば、21世紀の現在でもなお、スペイン南部アンダルシア地方の山岳地帯の麓には、洞窟に棲んでいる住民が数多くいることは、衝撃的であった。

今から四〇数年まえから、わたしはこの洞窟住居の住民たちの生活風景を観察してきたのだが、ゆったりとした時間の流れのなかで、物ももたず、穏やかな表情さえ浮かべていたのは驚きであった。

このことは、通常の生活を営んでいる人たちがもっていた異界の人たちへの誤解を、かなり解いただけでなく、都会のビルやマンションのなかでスマホやパソコンに頼って生きている多くの現代人に、〈これって、おかしいのではないか〉と、疑問さえいだかせるようになったのである。

それはまた、昨今、世界で話題になっているSDGs（持続可能な開発目標）のなかの〈地球環境の改善目標〉〈温度の上昇停止、CO^2の削減〉などへの解答と言わないまでも、〈時代を先取りして実証してきた、優等生の一例〉ぐらいの評価には値しよう。

もちろん、洞窟の住民たちが、意識的に実践して生きたわけでもなく、ただ、〈自然と共生する〉〈人はいずれ土に還る〉の実践者だっただけのことではあるが、それでも〈一本取られたな〉という感じは否めない。

これは宗教がかかわっているのかな？　わたしはふとそう考えてみたのだが、われわれ日本人の多くにとって、日常生活に宗教が大きく入り込んでいることは、ま

▲谷間の洞窟住居は、そのまま洞窟につながっている

ずない。

ところがカトリックが大半を占める南欧、ことにスペインの人々は、したたかなほど人間的な生き方をしている。言い換えれば、彼らは聖と俗をきわめて巧みに使い分けてきた。人間の苦難を救済するはずのカトリシズムは、その正統教義が強調されるほど、反対に人々の心に重圧となっていたためとみられる。

そこにみえるのは、彼らの複層化した精神構造である。信じるのは神の権威だけで、その他のあらゆる権力には反抗する不文律が成立し、享楽を優先する思考が育まれていったと考えられる。

したがって、逆にカトリシズムをもって国を治めないことには、収拾がつかなかったという矛盾もかかえてきたのである。

南欧の多くもそうだが、ことにスペインでは「理」と「法」を前面に出す建前型の人間社会ではなく、「情」が幅を利かす、ホンネ型であるという言い方もできる。

したがって彼らの思考方法や習慣の違いは、宗教や教育、生活空間の変化のような、外的要因によって付加的に身についたものだけではなく、自然との対峙、ないしは受容の過程で身につけた、自然育成型ともいうべき要因によって身についたものと解釈されている。

あるいはスペインの哲学者オルテガが指摘しているように、〈個々の人生とは、自らが周囲の環境に働きかけながら、作り上げていくドラマである〉という言い方にもなる。

*

だが、比較文明論の立場からわたしが関心をもっていたのは、卓上の理論や、政治や経済の世界ではなかった。若い頃から羊の群れを追う牧夫に同行したり、葡萄畑やオリーブ畑の観察、酒蔵の見学を繰り返してきたりしたことが、研究領域の拡大につながることになった。

そこに洞窟の住民の生活風景が目に飛び込んできたわけである。

さらに趣味の居酒屋巡りの楽しさも加わった。生ハムやチーズ、オリーブを肴に、ワイン・グラスを傾けているうちに、その里を訪ね歩くことにつながり、そこに伝わる暦と生活習慣の意味を考えてみる切っ掛けになった。

現地では食材の市場、中でも魚市場の見学は日課になっていた。どんな獲り方をするのか、その漁法を尋ねたり、漁場を教えてもらっているうちに、甲殻類の一種、〈亀の手〉が店頭に並ぶのはいつ頃からかとか、サバに脂がのってきたから、秋はもうすぐだと読めるようになってきた。

冬を控えた秋たけなわの頃、生ハムの産地を訪ねているうちに、ポルトガル国境に近いコルク樫の産地でドングリが雨アラレと降るスペイン西部エストレマドゥーラ地方の林のなかに入っての調査にもつながった。

わたしは研究室型ではなく、現場主義を貫いてきたのである。

ワイン、オリーブと生ハムの例でもみられるが、その地に生まれ育った人間たちをみていると、その土地固有の気候風土が生み出した産物と人間、自然の恵みと人間が一体化した生活形態のなかに、個々の類型を見いだし得ることに気がついたのである。

そこで「洞窟暮らしの四季暦」では、現代でもなお洞窟で快適に暮らすジプシーと、非ジプシー（外国人も含む）たちの生活を記した。

次の「洞窟暮らしの歴史」ではジプシーという、謎に満ちた民族の正体を扱っているが、ここでは都市部の一角に定住する者、馬車を仕立て移動を繰り返しながら

▲グァディスの洞窟群

生活を営むジプシーについて述べた。

3つ目の「洞窟で生きるということ」では、洞窟生活を何ゆえ選択し、どんな生きがいを見いだしたのか、について述べた。

いずれも四季折々の生活に、人間の知恵や感性が、どう生かされてきたかが、本書のテーマである。

なお本書では、〈ロマ〉ではなく〈ジプシー〉という、一部から差別用語と指摘されている呼び名をそのまま用いているが、その理由については、本文のなかの「ジプシーは差別用語か」という項に記してある。

アンダルシアの洞窟暮らし＊目次

1 洞窟暮らしの四季暦 …… 17

目　次

カバー・本文写真提供◆太田尚樹
本文地図作成◆中山デザイン事務所
ＤＴＰ◆フジマックオフィス

オビエド
サンティアゴ・デ・
コンポステーラ
レオン
サラゴサ
バルセロナ
タラゴナ
サラマンカ
セゴビア
アビラ
マドリッド
カステリョン・
デ・ラ・プラナ
バレンシア
アリカンテ
コルドバ
ウェルベ
セビーリャ
グァディス
クエバ・デ・
アルマンソーラ
ロンダ
グラナダ
アルメリア
カディス
マラガ
アンダルシア州

1 洞窟暮らしの四季暦

「洞窟人」たちよ

21世紀の今もスペイン南部のアンダルシア地方に現存する、洞窟に棲みついた人々の生活は、人間と自然が共生した姿を浮き彫りにしている。

それはたんに〈共生〉という言語表現の域を超えた異界への回帰を図った人間たちの生態、といったほうが的を射ているようだ。

アルハンブラ宮殿で知られる、グラナダの東方60キロにあるグァディスの町で、わたしが洞窟民家の観察をはじめた43年まえには、洞窟はほとんど廃墟のままで、人が棲んでいた痕跡は少なかった。

それも棲みついていたのは、ほとんどが〈ジプシー〉であったが、その後、年々、非ジプシーも棲むようになっていった。

だが町役場をたずねてみたが、当時、ジプシーたちの実数は把握されていなかった。たとえ定住しているジプシーであっても、真冬と盛夏のころに帰ってくる不定期な居住者同様、彼らを社会外の人間集団として扱っていたためである。

▲丘のふもとの洞窟群（グァディス）

洞窟民家の変化を観察しているうちに判明したことは、都市部の近代化がかかわっている事実であった。マンションの増大、車が溢れる社会の近代化の進展に比例するように、洞窟に居を移す非ジプシーの割合が増大しはじめたのである。

これはたしかに、驚きであった。東京でマンション暮らしをしていた人が、生活に疲れて、田舎暮らしをはじめるなら、昨今、少しもめずらしくはない。

退職した高齢者だけでなく、若者のあいだでさえも、「豊かな田舎暮らし」という言葉は、もう定着しているといっても過言ではない。

それでも、東京でマンション暮らしをしていた人が、赤城山の麓の洞窟に棲みはじめる、なんていうことにはなるはずもない。

というわけで、ヨーロッパで通常の生活をしている人からみれば、アンダルシアの洞窟に棲むことは、よほどの異端者でないかぎり、あり得ないとみられていた。

ところが近年、その思考に大きな変化が表われたのである。その結果、数の上ではジプシーは多数派でなくなり、彼らの住居も洞窟群がつづく丘陵地帯の奥の方に追いやられていった。

麓のグァディスの町役場の職員が言っていた。

「ジプシーの洞窟住居は、もともと不法占拠されていた建造物であると、われわれ町当局はみなしていたのです。

それって差別ではないかという意見もあるかもしれませんが、それはまったく違います。今の世のなか、どこの国に税金を納めずに、好きなところを占拠して棲みつく、なんてことが許されますか？

定住しないまでも、冬と夏の一時期に、舞い戻ってきて棲みつく連中も同じです。

▲洞窟住居の入り口（グァディス）

▲人が住んでいた気配を残す廃墟（グァディス）

ですから町の所有物件として改装して、町役場から非ジプシーに売りに出されたのです。

彼らが残していった残骸を撤去したり、必要があれば部屋を拡張したり、漆喰を塗りなおしたりして、洞窟は生まれ変わりました」

そこでわたしは、非ジプシーの人たちは、どんな意図で購入して、棲みついたのかをたずねてみた。

「新しい洞窟住居の住人は、マドリッドやバルセロナのような大都市に押し寄せた近代化に馴染めなくなったり、疲れたりした人たちです。

避暑と避寒のために別荘として購入した人もいます。洞窟内は年間を通して20度で臭気もなく、居心地は快適です」

さらにパリやロンドンに棲んでいた人々が移り棲んだり、夏や冬の季節だけ洞窟に戻ってくる外国人たちもいることに驚かされた。

あるとき、観察地点のひとつになっていた前出グァディスで、背広にネクタイ姿で洞窟住居から出勤していく30歳ぐらいのスペイン人男性を見かけたことがある。聞いてみると麓の町の銀行員で、洞窟の定住者であった。

『アリババと40人の盗賊』はイスラム世界に伝わる伝説物語で、『千夜一夜物語』の一編という説もあるおもしろい物語である。

盗賊たちは洞窟に黄金の金貨を隠し持っていたという話だが、件の銀行員と洞窟という組み合わせに、わたしは笑いを禁じえなかった。たしかにアンダルシアの洞窟は悪の巣窟、盗賊たちの住処とみられていた時代もあるから、

「時代は変わったなあ……」

わたしはそう思わずにはいられなかった。たしかに洞窟のイメージは、変わったとみるしかない。

もたない暮らしと闇の世界

それとは別に、季節によって都市と洞窟を棲み分けたり、都市のマンションを避ける傾向が増大しつつある事実に、近代文明の限界を思い知らされた気がしてならない。

住民たちは〈物をもたない文化〉をエンジョイしているが、深遠な闇の世界への

ことにもなる。

回帰を実践している人間たちでもある。21世紀に顕在する〈貴重な文化財〉という

ちなみに近年、グァディスの町役場の調査によると、同町の2018年度の人口は1万8718人。洞窟住居の数はグラナダ県全体で2491戸、そのうちグァディスが1574戸となっている。数字の上では、グラナダ県に散在する洞窟の63パーセントをグァディスが占めていることになる。

後の「洞窟暮らしの歴史」でも触れることになるが、グァディスにはフェニキア人たちが採掘していた鉱山が多かった名残である。

洞窟住居に棲みついた人口については、明確なデータはない。今日でもジプシーは、あくまで社会外の集団として正式な住民とみなされていないからである。

これが非ジプシーの場合であっても、常時棲みついているとはかぎらず、猛暑の夏や極寒の冬に戻ってくるだけで、正式に住居転入届を出していないせいである。結果的に納税者ではないから、住民としてカウントされていないためだとわかった。

▲山奥の洞窟はまだこの先にある（グァディス）

洞窟住居の構造

スペイン南部のアンダルシアと一口に言っても、とてつもなく広い。イベリア半島の西はポルトガルに接し、東も南も、地中海、北はカスティーリャと長い山脈によって分断されている。

スペインに棲んでいたとき、わたしは貧乏学生であるから、50ccのホンダのバイクで、アンダルシアの風のなかをのんびりと走っていた。ある年の夏休みには、このバイクでマドリッドからトルコのイスタンブールまで往復の旅をしたこともあるが、スイスの山越えをしても一度も故障したことがなく、〈さすがは世界のホンダだな〉と、悦にいっていたものだった。

それでも30歳の半ば近くになると、無職であることに多少の不安もあった。でもそんなときは、かのゲーテが言った〈若い時代に旅をしていない人の、後半の人生の話は貧しい〉という言葉を思い出すことにしていた。

その後、日本で教職についてからは、さすがに50ccのバイクというわけにはいか

▲丘の頂上付近の洞窟住居。白い煙突は空気孔（グァディス）

なくなった。そこで春休みや冬休みになると、スペインにやってきて、月単位でレンタカーを借り、ラ・マンチャやアンダルシアの広大な大地を走り抜けていた。わたしの青春時代はそんな具合で、かなり長かったかもしれない。

さて、アンダルシアには肥沃な平地もあれば、険しい山岳地帯もある。わたしがはじめて海抜1000メートルの町グァディスに足を踏み入れたとき、赤茶けてごつごつした岩肌や切り立った壁が町をぐるりと取り囲み、谷間には、白いカモメの大群が帯状に取りついているように見えた。

だが遠目には垂直に見えた壁も、近くにきてよく見ると、幾重にも折り重なった小さな丘の連続であった。そして、カモメに見えた正体こそ、洞窟住居の壁であった。住民たちは正面の戸口の広い壁や空気孔を、白い漆喰で塗り固めていたのである。

谷間の奥へ進んで、訪ねたホルヘ・カニャーダ氏の住居は、開いている戸口から入ると、10畳ほどの居間で、左右に部屋が枝分かれする。

通路の幅は1・5〜2メートル、高さは2・5〜3メートルで、壁の厚さは20メートル以上はあるが、場所によっては50メートルはあるから、崩落の心配はないそうだ。ちなみにこの国には、この千数百年の間、地震はまったくないからだ。それでも蟻の巣のような感じは否めない。

どんな町にも教会やカテドラルがあるが、震度4程度の地震があれば、ほとんど屋根は崩れ落ちるといわれているスペイン。それが一度たりとも崩落していないのである。

洞窟内では掘り込んだ階段を上ると、2階、3階へと立体的に延び、それぞれの階も2つ3つと枝分かれしている。小さな丘の天辺にあたる最上階に上りつめた踊り場は、東西南北に延びた4つのテラスに通じている。

冬には南側の見晴台をかねたテラスが憩いの場で、遠くの丘の頂上付近にも、洞窟群が張りついているのが手にとるようにみえる。夏は北側が使用され、前方の谷底や遠くの山並みが遠望できる。

女たちは日陰に椅子をもちだして、おしゃべりしながら編み物などをしているが、季節の移ろいに合わせて、快適な空間だけを使用している。

▲煙突を兼ねた空気孔（グアディス）

そこは丘の頂上付近にあたるため、洞窟の斜面には、吹き出し口の煙突が3つあり、日干しレンガを積み上げて白い漆喰で固めてある。それぞれの煙突は8箇のレンガが抜き取られ、そこが空気孔であった。

天辺は雨が吹き込まないように

レンガでふさぎ、白い漆喰で固定して丸みをもたせてある。煙突のまわりは、すっぽりと白い漆喰で固めているので、外からみると、真っ白い妖怪が林立しているようにみえる。前夜、麓の町で月明かりの下で見た妖怪の正体は、煙突の形をした空気孔であった。

主人のホルヘ・カニャーダ氏が言っていた。

「わたしは生まれも育ちもこの家です。その後教員になって各地を転勤して3年前の退職を機に、家族と元のわが家に戻ってきました。通常の民家に棲むのは苦痛でしたから」

なるほど〈苦痛でした〉という言葉には説得力がある。外海に出たサケが、最後は生まれ故郷の母川を遡上するように、洞窟住居の住人にも帰巣本能があるらしい。それは、都会生活が苦痛だったという意味もふくまれている。

室内は常時20度で、騒音とは無縁の静寂の世界である。2階は南側に居間と寝室、北側も居間と寝室になっていた。

「子供が増えるごとに、奥へ掘り進んでもう1部屋作る家庭が多いです。でもわが家は子供が3人だったから、このままで十分でした。今は家内と末の娘と3人だけです。

それでも、以前は水くみや、燃料用の薪集めに降りて行ったし、今でも1週間に1回は、食料の補給に麓の町まで行きます」

と、カニャーダ氏が言った。

手狭になった家では、子供が増えるごとに奥に掘り進んで増築するとカニャーダ氏から聞かされていたが、近くの洞窟住居で、増築している光景を見たことがある。

若者が天井の壁をツルハシでサクサクと削り落とすと、父親が下にたまった白い岩石のかけらを、一輪車に乗せて外に運びだしていた。

岩石は柔らかい石灰岩であるから、強度を保つために隣室との壁の厚さは数十メートルの厚さになっている意味がわかった。

▲部屋の拡張工事をする若者
（グァディス）

削った岩肌の表面はなめらかに仕上げ、数回にわたって漆喰を塗って真っ白にする。細かい砂の落下を防ぎ、通路の薄ぼんやりした明かりを反射させるためだった。

洞窟の四季

南仏やイタリアと違い、スペインの1年の気候は大まかにいえば夏と冬の2つだけで、春と秋は驚くほど短い。だがそれは内陸部の場合であって、地中海沿岸では冬でも温暖で、南に下がったアンダルシアのコスタ・デル・ソル（太陽の海岸）あたりでは、冬でも海に入っている人たちがいる。

一方、北のピレネーの麓では9月後半には冬支度に入り、高い峰では夏でも万年雪をたたえている。これはアンダルシアでも同じで、シエラネバダ（雪におおわれた峰）山系の最高峰ピコ・デ・ベレタ（3392メートル）の北側斜面では8月でも雪が残っている。

ところが、春には真っ赤なアマポーラ（ひなげし）や、緑の絨毯におおわれる中部スペインのカスティーリャや南部のアンダルシアの休耕地も、初夏ともなれば生気を失っていく。そしてメラメラ燃えた炎のような太陽が降り注ぐ盛夏のころには、枯れ草とドライ・フラワーの荒野になってしまう。

　この時期になると洞窟の定住者も、季節を棲み分けている人間たちも、気温が常時一定の涼しい室内で、のんびりと過ごしている。

夏を快適に棲む知恵

なかが涼しい洞窟に棲む人たちだけでなく、都市部に棲む人たちも、外出から戻ったときなど、冷たい水が飲みたくなる。

そこで夏には、洞窟民家の住人たちも、戸口の外に置かれた2リットルほどの水が入っている壺の蓋をとり、逆さまにしてゴクゴクと飲む。

　夏を涼しく快適に過ごす知恵は、どこの国のどの地方にも伝統的に存在しているが、とくにイスラムの影を色濃く残すスペイン南部のアンダルシア地方では、住居の建て方にも顕著にあらわれる。

おもしろいのは、家の戸口に置かれたボティホ（botijo）と呼ばれる、木の蓋が付いた素焼きの壺である。入れたときにはぬるま湯のようだった水が、しばらくたつと心地よく冷えているから、まるで魔法の壺である。

だが壺は素焼きの陶器であるから、表面からどんどん蒸発し、そのときに気化熱が奪われるために、内部の水が冷却される仕掛けになっている。

わたしがまだ若かったころ、エジプトのナイル川のほとりのカイロの町で、炎天下を歩いていて喉の渇きをおぼえたのだが、橋のたもとにドラム缶の半分ほどの大きさのカメをみつけた。

通行人なら誰でも飲めるカメには木の蓋がおかれ、ひしゃくもおいてある。すかさず飲んでみるとひんやりと冷たくなっていた水に、救われた気がしたものである。

伝統的に受けつがれたイスラム世界の知恵だが、この原理が夏の暑さの厳しいアンダルシアはじめ、多くの地方でも民家の建て方に応用されている。天然のクーラー付きであるから、そのためにどの家も窓の数が少なく、しかも小さく作られている。

民家やビルであっても、それほど大きくない建物は、なかが空洞の干乾し煉瓦に漆喰が塗ってあり、建築現場で見ていると、ハラハラするほど鉄筋の教が少ない。

地震がないからこれでもよいのだそうだ。したがって窓が少なく、しかも小さくできているのは、壁で強度を保っているためでもあるが、夏に気化熱を放出して屋内を涼しくするためでもある。

学生時代、マドリッドに棲みだしてまだ日の浅い夏のある日、暑いので窓を開けてしまって下宿のおばさんに叱られたことがある。スペインでは日本と反対に、暑い日には窓を閉め、鎧戸もおろして暗くするのである。

▲ボティホという水瓶（水が気化熱で冷却される）

マドリッドのような大都市では、暑さと町の喧騒を避けるように、街路にはプラタナスの大きな木陰がいたるところにあり、ひんやりとして心地よい。パリのセーヌ河畔のマロニエやプラタナスの緑の木々は、古い街並みに一層落ちつきを添えて見た目にも美しい。

晩秋のころの落葉は異邦人の旅情を誘い、ときには陰鬱にさせる。だが冬に葉を落とすと、木の下のベンチが陽なたぼっこと、お喋りの格好の場になる。

とくに緑の少ないスペインの都市部では、葉が青々と茂る夏には、涼しい風が渡ってくるオアシスになる。仕事にあぶれた中年男が朝から長々とベンチに寝そべっていたり、その隣では、老人たちが世間話に花を咲かせたりしている。


物理学者で文学作品も多く残した寺田寅彦は、随筆『涼味数題』のなかで、「涼しさは瞬間の感覚である。暑さと冷たさが適当なる時間的空間的周期を以て交替するときに生ずる感覚である」と書いているが、涼しいという感覚は、暑さのなかにあって感じるもののようである。

しかしスペインや北アフリカにいると、湿度が極端に低いため、乾燥と涼しさは一体となった感覚であることを実感する。

都市部で真夏をすごす場合、外は40度であっても、暗くした室内ではせいぜい30度ほどにしか感じない。

だが真夏であっても洞窟のなかで夜寝るには、掛布団が要るし、シエスタ（午睡）する場合でも、毛布を2枚ほど重ねないと、体調を崩してしまう。

外の空気を吸いたいときや視界を変えたいときには、外の日陰に椅子をもち出すか、テラスの北側に移動することになる。

冬の備え

前出の教員を退職して、洞窟住居に戻ってきたホルへ・カニャーダ氏が言っていた。

「冬支度は、まず食料と薪の確保です。食料はスペインの伝統的な保存食の生ハムやモルシーヤ（豚の内臓のミンチにニンニク、玉ねぎ、ゆでたカボチャ、塩と香料などを豚の血で練り上げ、豚の腸に詰めたソーセージ）、パンを焼く小麦などです。もちろん食事に欠かせないのがワインです」

とくに食卓に欠かせないのは、ワインにつきものの生ハム（塩漬けの豚の太もも肉で、1年以上熟成させる）とチーズ。チーズは羊、牛のほかに、もっとも美味いと感じるのは、山羊の乳から作られたラ・マンチャのチーズ。塩味でボソボソしているが、なれると猫のマタタビの類である。

カニャーダ氏の住居でも、昼間は換気と採光のために開け放たれた戸口のなかには、ニンニクや玉ねぎ、赤唐辛子が細いロープにびっしりと吊るされていた。


スペインでは小麦の刈り取りや葡萄の摘み取り作業が終わると、またたく間に冬の到来に備えることになる。

長い冬の間、温暖なのは地中海沿岸のイタリアやフランス、スペインだけで、内陸部の冬の寒さは想像以上に厳しい。

スペイン南部のアンダルシアでも、セビーリャやコルドバなどは海抜が低く、冬でも窓辺には花が咲き乱れ、ヤシの木陰には越冬つばめが舞い降りてくる。

しかしグラナダのような内陸部の高地では寒気が厳しいことにかわりない。

氷雨が横に流れる山岳地帯に近いグァディス地区も同じで、洞窟群のある町にも、容赦なく寒気は押し寄せる。

それでもほの暗い洞窟のなかは暖かい。春の到来を待ちわびている下界の人々と違い、洞窟の住民たちは暖かい部屋のなかで静かな家族の語らい、ときには歌と踊りに興じている。

部屋の真ん中で焚かれた薪や枯れ枝の赤々とした炎は、煮炊きが終われば、そこを囲んで語らいや踊りの場になる。こんなとき、人の心の温かみや熱情を感じさせ、ときには妖艶な世界にまで誘うのは、赤々と燃えた炎である。

たとえ「モグラ生活」「熊たちの冬眠」といわれようと、意に介さないのは、独自の豊かさを享受できる別天地だからである。

冬は赤を着る

洞窟の住民は、年寄は落ちついたモスグリーン系の衣服を着用している人をよくみかけるが、真冬になると、老人も若い人も赤系統を着用する人が多いようだ。

赤々と燃える焚火の炎、真っ赤なフラメンコ衣装、そして闘牛場のリング、闘士のもつムレタ（赤い布）。町中を歩く人々の服装も、赤は少しもめずらしくない。赤のイメージは、血や情熱、勇気や炎であり、ときに積極性を超して攻撃型になる。

わたしはグァディスからさほど遠くないグラナダの闘牛場近くの居酒屋で、闘牛ファンの老人たちのひとりから、

「おまえさんは日本人だな。日本にはこんな素晴らしい闘牛なんてものがあるかね？」

と聞かれたことがある。そこで、

「日本にはありませんが、スペインにきてからすっかり闘牛が好きになりました」

と返答したのがきっかけで、彼らから闘牛の講釈を聞かされることになった。

「猛々しいオスの黒牛が、赤いリングのなかに颯爽と現われるだろう？　そいつが首を下げて突進してくると、闘牛士はヒラリと身をかわして、つぎの瞬間には、牛の正面の死角にスッと立っている。

牛の眼は、人間でいえば耳の位置に付いているから、近くの真正面は見えないんだ。だからそこがいちばんの安全地帯なんだよ」

別の爺さんが、その先の講釈をはじめた。

「闘牛士の、まるで谷間を下る渓流のような華麗な身のこなしは、なんともセクシ

▲セビーリャの闘牛。３人の闘牛士がそれぞれ２頭の牛と闘う

ーだな。うちの女房が、若いころそう言っていたから、たいていのご婦人方もそう感じるらしい。

　それとあい対した闘志むきだしたままの牛の、あの血走った眼がいいんだな」

「そのとき観衆の眼は、この瞬間に釘付けになるんだ。牛は断末魔の声を残して、一刀のもとに、もんどりうって倒れて鮮血に染まる。最高の舞台を演じる、両者はまさに一等俳優だよ」

「それから静寂の瞬間がすぎて、突如押し寄せる津波のような歓声。ああ、たまらんねぇ」

もっとも洞窟の麓のグァディスあたりでは、闘牛談義など聞いたことがないし、ほかのヨーロッパの国だけでなく、国内にも反対運動が起きている。

ロンドンで闘牛をやったら、英国紳士たちから冷笑されるにきまっているし、パリだったら、パリジェンヌたちは猛反対して立ち上がる。かりに騙されて見に行ったら、卒倒してしまい、神経内科に通院することになるだろう。文明国ではそれが正常な感覚なのである。

そんなスペインはヨーロッパではなく、アフリカだというのが、わたしの持論である。かのナポレオンも、〈アフリカはピレネーからはじまる〉と言っているように、哲学的にも文化的にも、ヨーロッパの辺境地であるスペインはアフリカである。

エリック・バラテというフランス人の書いた『闘牛への招待』という本に、こんなことが書いてあった。

「闘牛は性的快楽に似たエクスタシーの作用をもたらす宗教的儀式である。だがそこには命が存在する。それまで猛々しく走りまわっていた生き物が崩れ落ち、突如一つの物体、一個の静物になってしまう。

われわれの日常で生と死は身近なもののはずなのに、それを一気に生のピーク、死のピークに凝縮してしまう」

あの断末魔の最期の瞬間ということらしいが、観客もかなり哲学的状況に置かれていることになる。

したがって、われわれの動物的本能が刺激され、対極の位置にある動物に対して、人間はこよなく愛する気持ちと同時に、人間の強さを再確認するという仕掛けになる。

そのあたりの背景が理解できないから、ほかのヨーロッパでは反対するのではないか。動物的本能を覆いかくす訓練ができていたかどうかの違いでもあるのではないか。そこがカトリックの世界との違いということにもなるが、カトリックが多い南仏のアルルの町の入口には、闘牛場があったことを思い出した。

現在でもアルルでは、春と秋にスペインから闘牛士がきて、闘牛が開催されているそうだ。ピカソはアルルの闘牛場の常連だった。ゴッホも闘牛は好きだったらしい。

洞窟生活とモスグリーン

都会を棄てて洞窟住居に棲みついたり、酷暑の夏と冬の間だけ移り棲む人がけっこういる。

同じ都会の生活に疲れた人でも、洞窟に行く代わりに、カラー・セラピー（色彩心理療法）をうける人もいる。そこでは、青、緑のような寒色系を取り入れることを勧められるのだそうだ。赤のような暖色系を多用すると、逆に疲れてしまうからである

衣服や家具、内装を調えなおす場合もあるが、医者が転地療養を勧めるときには、森とか海のような、ストレス解消に結びつく色彩環境も含まれる。

スペイン人はまわりのことには無頓着である。通常、スペインの高齢者の女性は、近親者が亡くなると1年間、黒い喪服を身につける。外出時も黒のスカーフをかむり、黒いストッキング、黒い靴を履くから、全身が真っ黒である。

洞窟に棲むスペイン人の高齢者も同じだが、あるとき、戸口にいた女性に、黒を

着る理由を念押ししてみると、

「夫が3年まえに亡くなったのでね。ほかに着る衣類もあるにはあるけど、着慣れて馴染んでいるほうがいいから」

と、あっけらかんとしていた。


他人のことも、自分のことにも無頓着な人が多いこの国。

それもスペインらしくていい。

わたしにはそう思えたのである。

それでも、年配の洞窟の住民には、モスグリーンを着ている人が多い。たいていは物静かで、いつも何かを考え、なかでも家の外の木陰で本を読んでいる人は、美しく見える。

春の到来

3月も中旬になれば、アンダルシアにも春がきている。冬が去った丘の麓や、中腹の洞窟の暗闇からは、ジプシーたちが麓の町に降りてくる。

彼らは、目覚めたばかりのフキノトウのような虚ろな目つきで、辺りをぼんやり見まわすばかりだ。生あくびを繰り返す大人たちは、冬眠いまだ覚めやらず……。

それでも麓の町に仕事をもっている非ジプシーたちは、冬の間も下界の職場に通っている。レストラン、バール、スーパーや銀行、学校など職場は幅広い。

だが年金生活者たちは、暖かい日の散歩や、買い物のために町に出てくるが、主婦は戸口の陽だまりに椅子をもち出して、せっせと編み物や、近所の仲間とのおしゃべりに余念がない。

高齢の男たちは、町中のたまり場や、バールで暇をつぶし、昼になると家路についてゆったりとした昼食を食べると昼寝をし、その後はまた仲間のいる場所に戻ってくる。

就学年齢に達した彼らの孫や子供たちは、麓の学校に通っているから普段と変わらない生活を送っている。だが学校に行くことはないジプシーの子供たちの目は、嬉々としていた。早速、ボールを蹴りだす者もいれば、自転車を乗りまわしてサーカス顔負けの曲芸を披露する。

▲馬喰の親方の洞窟住居。手前は馬囲い（グァディス）

ある日、馬喰の父親から、乗馬の訓練を受けている少年の姿をみかけた。そこはグァディスではなく、東に200キロ行った、地中海に近いクエバ・デ・アルマンソーラという洞窟群もある小さな町。

丘の麓の馬囲いのなかに10頭ほど、白いアラブ馬が放してあった。馬囲いのすぐ背後は、羽振りのいいこのジプシーの馬喰の家で、家の後方の半分は洞窟につながっていた。

翌日知ったのだが、囲いのなかの白馬10頭のうち6頭は馬主や牧場主から調教を頼まれている馬で、2頭が自分の馬。あとの2頭は買い手探しを頼まれたのだと、40歳がらみの馬喰が言っていた。

馬喰の息子はまだ10歳で、鞍に取りつくときは父親の手助けを借りるが、歩様の姿勢、並み足から疾走にいたるまで、厳しく教え込まれていた。

大人が騎乗する馬との合わせ方や間合いの取り方になると、父親から激しい言葉が投げられていた。ジプシーの言葉の解らないわたしには、少年の両足の力の入れ具合と、手綱の引き具合のことだろうと思えた。少年の利発そうな顔、凛々しい姿をみて、

「息子さんは大人になれば、きっと腕のいい馬喰になるでしょう」

頃合をみはからって、わたしがそう話しかけると、オヤジはタバコに火を付けて一息入れながら、

「馬に興味があるのかね……」

と言って、表情をゆるめた。息子をほめられた親が、機嫌をそこねるわけはないのだ。

「きのうも息子さんに教えていましたね」

「ああ、おまえさんが見ていたのは知っているよ。うちは娘ばかりが4人もつづいて、やっとできた息子だからな。それで教えているんだ。オレの家は見てのとおり、

半分は洞窟で、目のまえに馬の調教場があるから、便利なんだ」

と言ってから、先ほどの白い馬10頭の話をしてくれた。

「10頭でも、念入りに調教するから、けっこう大変だよ。来週から、頼まれてモハカール（南へ30キロ）の知り合いの馬牧場へ種付けに行くんだ」

以前、グラナダ郊外の馬牧場で、スペイン人の主（あるじ）から、

「馬の目利きは血統だけでなく、腰の高さなどのバランス、歩様の美しさ、歯並び、顔つき、頭脳の程度までじっくり見分ける能力がいる。血統証に頼らなくても歯を見れば年齢もわかるし、ジプシーには優れた目利きがいるよ」

と教えられた。

今、目のまえにいる馬喰も、調教や繁殖を頼む顧客がいるのだから、きっと優秀なのだろう。

▲ジプシーの馬喰の親方（グァディス）

地平線の向こうへ

長くて厳しい冬が終わりに近づくと、春の到来を待ちわびているのは、スペイン都市部の住人や、荒涼としたアンダルシアの原野だけではなかった。

冬の間、暖かい洞窟のなかで蟻のような生活を楽しんでいたジプシーたちにも、旅に出る季節はすぐそこまで来ている。物をほとんどもたない主義の彼らであるから、旅の準備といってもいたって簡単である。洞窟を出た彼らは、一家総出で馬車を仕立て、明るい地平線の向こうへ旅立って行く。

彼らの出立の光景を見送ったことがある。手綱を取る色の浅黒い30代後半と思しきオヤジは、つばの広いパナマ帽のひさしの陰から、無表情で遠くに視線を送っているが、助手席の少年と、荷台に乗り込んだ家族は、名残惜しそうに、丘の中腹のわが家を見つめて別れを告げている。カタ、カタ、カタコト。車輪がきしむ規則的な音に混じって、幌の横腹に取り付けられた金盥（かなだらい）が、調子を添えている。一家が今度、この洞窟に戻ってくるのは、酷暑の夏か、冬がそこまでやってきたときだ。

▲旅に出るジプシー の一家（ラ・マンチャ）

　彼らがめざすラ・マンチャは、南北に２００キロ、東西に５００キロの広大な大地。西の果てはポルトガルと国境を接するエステルマドゥーラ、東の端は、アルバセーテからはじまる。

　春のラ・マンチャは、見わたすかぎり緑のなだらかな丘がつづいている。赤い土のなかからは、前年に切り落とされて30センチほど残された葡萄の幹が地平線の彼方まで、碁盤の目のように正確に並んでいる。

　盛夏のころには地表から水分の蒸発を防ぐために、枝葉は大地をすっぽり被い隠すようになるが、春先は、どの根元からも淡い緑の新しい生命が芽吹いたばかりだ。

真冬の洞窟のフラメンコ

大地が凍てつき、雪が横に流れるグラナダのアルハンブラ宮殿と向かい合わせたサクロモンテの丘の洞窟を訪ねたことがある。とはいっても、冬眠中のジプシーを起こすのは気が引けたので、入ったのは洞窟群の一角にあるタブラオ（フラメンコの劇場）のほうである。洞窟の住人たちのフラメンコは、街のタブラオで見るものと比べれば素人臭く、まったく洗練されていないが、高度に商品化されていない分だけ自然体で、それなりに感動できる。専門家によると、街中にあるタブラオと違い、洞窟のそれはオリジナルにかなり近いそうである。

それでも実際に見物してみると、グラナダやセビーリャの有名タブラオの場合と、流れ方が同じパターンであることに気がついた。正面の壁を背にして二人のギタリストが、ほの暗い光のなかで「カンテ・ホンド（深い唄）」の編曲を奏でている。

黒ずくめのジプシーの若い男のカンタンテ（唄い手）が現われて、低くて暗いエントラーダ（序曲）を唄いだすと、幕間からつぎつぎに踊り子が出てくる。暗い舞台の中央の赤いスポット・ライトのなかで、炎のような衣装の裾をたくし上げると、やがて動きは激しさを増してくる。

ギターの演奏が啜り泣くようなトレモロに変わると、踊りもゆったりとのびやかになり、底の深い未知の世界が垣間見えてくる。

フラメンコの、あのひとときの間合の静寂の世界が好きである。そこには静かな祈りと、遠くを見つめる悲しげな視線の先に、虐げられてきた民族の哀感と、スペインのマイノリティーの魂を感じとれるからである。

踊りは再び始動して流れが速くなると、激流に逆らうように激しく汗を吹き飛ばしたあとで、深い淵にそのまま流されていくように沈んでいく。そこは闇の世界が育んだ研ぎ澄まされた感性、黒い魔性の世界である。

踊り手が眉間に深い皺を寄せた、苦悩の表情のなかに見える黒い影。これをスペイン語では「ドゥエンデ」という。一見して、魔性を秘めたあの妖しい魅力は、ジプシーたちの魂の叫びそのものを意味しているといわれる。虐げられてきた流浪の民にしかわからない、民族の悲痛な叫びでもある。

故郷を出てから旅の空の下で編んできた数々の物語。

セビーリャのサンタクルス街にある「ロス・ガヨス（雄鶏）」という名の、タブラオの女主人が解説してくれた。

「フラメンコは、それほど暗い踊りなんですよ」

それは、苦悩を快楽に置き換えようとする精神作用であるばかりでなく、人間がもっとも人間らしく生きられる世界の究極の表現であり、生きる真の姿そのものであるという。

数年まえ、フラメンコ音楽評論家の濱田滋郎氏と雑誌で対談した折、こう聞かされた。

「わたしたちが見失った人間らしい価値観、感性を呼び覚ましてくれるだけでなく、魂を揺さぶられるから、まわりの人たちは酔いしれるのです」

フラメンコを踊るジプシーは、精神の渇きから発生した表現のクリエイターとして、あの妖しい魅力、魂の表現者となったというわけである。

彼らが洞窟のなかで培った感性の表現は、明るい陽光の下は似合わない。冬の洞窟のなかこそ、彼らの心の故郷のようである。

2 洞窟暮らしの歴史

動物の壁画が物語るもの——アルタミラ

21世紀の現在もひとが住んでいる、アンダルシア地方の洞窟住居に興味がないひとでも、〈いったい人類はいつごろから洞窟に棲みついたのか〉には、関心があると思われる。

人類が地球上に現われて以来、さほど時空をへないころから棲みついたか、あるいは棲みつかないまでも、狩りなどの移動の途中で偶然見つけた洞穴で、一時的に棲んだと推定される。

それよりずっと後期のはずだが、洞窟の壁画が発見されるようになったことが、ある程度参考になる。

一時期、1万7000年前の世界最古の洞窟壁画とされていたアルタミラの名を知ったのは、高校時代の歴史の教科書であった。スペイン北部のサンタンデールから西へ30キロ行ったサンティリャーナ・デル・マールの近郊にある洞窟である。

発見されたのは1879年のことだった。にわか雨に降り込まれた地元の猟師が

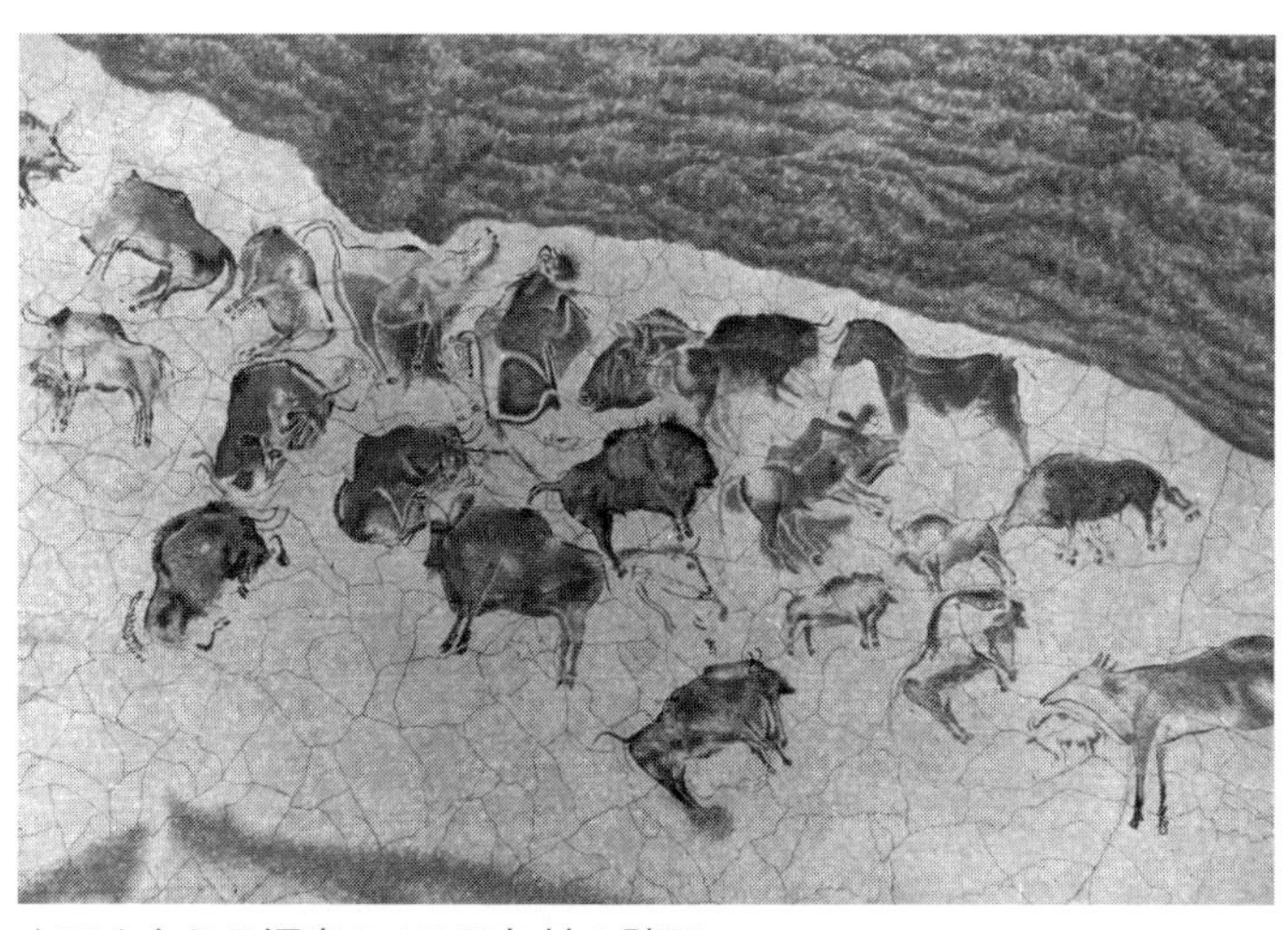

▲アルタミラ洞窟の1.7万年前の壁画

小さな洞穴を見つけ、なかに入ったところ急に広くなり、270メートルも奥にいくつかの動物の壁画が壁や天井に描かれていて驚いた。最初の発見者は地元の領主の5歳になる娘だったという説もあるが、権力者に栄誉を譲ったのだともいわれた。

わたしが現場を見たのは1972年のことで、当時は1日30人まで見学が許されていた時代であり、人間の吐き出す息で、画質が劣化するからだと説明された。ちなみに現在は入場禁止だそうである。

旧石器時代のネアンデルタール人が洞窟に壁画を描いたとされる動物

は、野牛、馬、大鹿、イノシシなど7種類で、赤、黒、白で鮮やかに描かれていた。

つい今しがた描かれたばかりのように、生き生きとした姿をみせていたのである。

何ゆえ、鮮明に元の色彩が保たれたかについて、〈土砂崩れによって入口付近がほぼ完全に閉鎖されていたためではないか〉〈それが雨によって崩れ落ちて、小さな穴が開いた状態になった〉と専門家は言っている。

ほかの地中海沿岸に残る洞窟の壁画もいくつか見学してみると、ひとが木に登って蜂蜜や鳥の巣を採取しているところや、鹿やイノシシの狩猟の光景が描かれている。

しかしアルタミラの動物壁画は、はるかに規模が大きく、迫力に満ちた姿で鮮明に描かれていた。とくに赤い牛は躍動感に溢れ、今にも飛び跳ねそうな迫力があって、闘牛ファンのわたしは圧倒されて、

「ウーン!」

と言ったまま絶句してしまった。

当時から、野牛は人間の血を騒がせる動物だったのだろうか。壁画を描いた理由

にはいろいろな説があるようだが、芸術鑑賞のためだったら、２７０メートルも奥の暗闇のなかでなく、ひとの目につく屋外に描かれるのではないだろうか。

結局、こんな動物を獲ってみたいという、狩人の願望を叶えるために、呪文の対象として描かれたものと思われる。松明の灯りの下で、呪文を唱える儀式をすませてから狩りに臨んだほうが精神が統一され、本来の目的を達成する確率が高いことは、推定がつく。

壁画の顔料はわからないものの、それにしても鮮血のような赤は色鮮やかである。クレヨンでいたずらする人間の赤ん坊は、まず赤からはじめるのが普通だといわれるが、大人でも色彩としてもっとも強く意識するのは赤である。信号のストップ・サインや郵便ポストもそのためだろう。

ところが古代人もまた、赤色に関心をもち、赤への思い入れは強かったとみられ、日本の古墳の壁画も赤が基調になっているように、特別な色彩だったと思われる。

では壁画から離れて、いつごろからこの地の人間たちはアルタミラの洞窟に棲むようになったのかとなると、壁画が描かれるよりもずっと以前から、棲んでいたと考えるのが自然である。数千年、あるいは数万年もまえから棲んでいたのではないかと考えられる。

洞窟の出口にもどって、麓のサンティリャーナ・デル・マールの村を見つめなおしてみた。洞窟は丘の中腹よりやや上にあるから、当時は動物が付近で獲れ、伏流水も手に入り、燃料の枯れ木や枝も周囲にはふんだんにあった。そこで彼らが、洞窟内で生活を営んでもすこしも不思議ではない。

洞窟を後にして村に降りてみた。牧草地帯を抜けるとすぐに集落であるから、このあたり一帯は盆地になっていることがわかった。なるほどアルタミラか……。〈高台から見おろす〉という意味である。

村の道は古く、地面についた車輪が通った跡がコンクリートのように固まっていた。道の両側の1階に牛を飼っている家が多く、ひとは2階に棲んでいる。道に出ていた老婆にたずねると、

「このあたりの家はどこも、１０００年はたっているものばかりだよ」

と教えてくれた。

なるほど、木の階段はひとが歩いたところがすりへっていた。地震がないスペインでは、地方に行けば８００年ぐらいたっている古い家屋はめずらしくないが、１

▲アンダルシア名産の白馬アンダルシアン

000年とは恐れ入る。しかもひとは今日でも、当然のようにそこにそのまま棲んでいる。

この集落にも教会とカテドラルがあったが、ひと気はなかった。後でわかったのだが、この村は牧畜と林業を生業にしているひとが多かった。春は牧草地に放牧し、夏は山に連れてゆき、秋になると迎えに行く。

村人のなかには、アルタミラの洞窟に棲んでいたひとや、壁画を描いたひとの子孫もいるのではないか、と思われた。アンダルシアの洞窟住居の、遠い時代の原型のひとつを見た気がしたのである。

始まりは坑道の廃墟だった

ではアンダルシアのグァディスの町には、いつごろから洞窟民家が存在したのか、歴史をひも解くと、青銅器時代にさかのぼる。

スペイン南部のアンダルシア地方は東西にシエラネバダ山脈が走り、その東端近くにあるグァディスは、金山・銀山が多かった土地柄である。

今から約３０００年前、古代地中海世界を縦横に行き来して、都市国家カルタゴを造ったのがフェニキア人であった。彼らは金属採掘のため、イベリア半島にも盛んにやってきた。ちなみにグラナダから東に２７０キロ行った地中海沿岸の町カルタヘナは、カルタゴの名をとどめた町である。ここを起点のひとつとして、アンダルシア各地の鉱山に採掘作業が広がっていたとされる。

彼らがグァディス鉱山の坑道を掘り進むうちに、一時的に自分たちの住居にしていたのが、現在の洞窟群のはじまりとなった。

その後、採掘作業がほかの地に移ると、廃鉱になったままの坑道には、15世紀末

▲鉱山の廃坑

になると追放を逃れたイスラム教徒、さらにジプシーたちが棲みつくようになった。

『ラティフンディオ経済と歴史』（太田共訳）を著したアントニオ・ベルナールは、「アンダルシアの山岳地帯は盗賊、密輸業者などが棲みついた悪の巣窟」と書いているが、20世紀初頭までの洞窟の実態のようだ。

その後、拡張と修復作業がくわえられた結果、スペースが広がって1軒の部屋の数は、10から12もあるのがめずらしくない。

だが改装したとはいえ、フェニキ

ア人が生活しながら掘り進んだ洞窟に、現代にいたるまで人間が棲みついている事実に、われわれは驚くほかはない。

しかしこの国では、アルタミラ洞窟の麓にある集落の民家が、1000年を超えていたり、それに近い古い民家がいたるところに現存する事実からみても、〈時空を超える〉ことが少しも不思議でないことが、むしろ不思議である。

その間、国外追放を逃れたイスラム教徒が、官憲の目を逃れたジプシーが、現代社会に疲れたスペイン人や外国人が棲みついた。そして今もなお、アフリカから小舟で不法入国した人間たちが生活を営んでいる洞窟であるが、どれもとうの昔に姿を消した、地中海民族の世界にたどりつくほど、歴史を重ねてきた洞窟住居なのである。

イスラム教徒の逃亡先

フェニキア人がグァディスから消えた後には、長い空白の時空があったが、つぎに棲みついたのは、ジプシーとスペインから逃亡していくイスラム教徒であった。

両者がアンダルシアの洞窟に棲みついたのは、ほぼ同じ時期だが、わずかにイスラム教徒たちのほうが先住者とみられている。

では、イスラム教徒がスペインで何をして、何ゆえ逃亡という非常手段をとったのかということになる。

時は711年にさかのぼる。突如として北アフリカからベルベル人の一隊がジブラルタル海峡を渡ってスペインに侵入してきた。

強力な軍事力を誇る彼らは、スペイン南部から中部、そして北部にも攻め入り、ピレネーを越えて南フランスまで侵攻する勢いであった。

だがさすがにその勢いは止まり、イベリア半島に舞い戻った。だがそれ以後、キリスト教徒との戦いはつづき、双方の戦いはレコンキスタ（国土回復戦争）として、歴史に名を刻む。

その後のイスラム勢力は、ついに100万の軍隊を有するコルドバ王国が誕生するなど、西側のイスラム王国として君臨したことは、周知のとおりである。

同じ時代のヨーロッパでは、文明が失速した暗い時代であったが、そこは眩いばかりのイスラム文明が輝いた都で、イスラム科学を背景にした学問の都、一年を通して家々の窓辺には花が咲き乱れていた。

だが、スペイン各地の小高い丘には出城が築かれ、レコンキスタでは、徐々にキリスト教徒側が盛り返す時代がやってくる。

そしてカスティーリャのイサベル女王、アラゴンのフェルナンド王夫妻の時代の1492年、ついにキリスト教徒側の勝利に終わり、両王は国旗が翻るグラナダのアルハンブラ宮殿に入る。

ことにイサベル女王は、この宮殿のパティオ・デ・レオネス（ライオンの中庭）がいたくお気に入りで、満月の日には、青い光のなかで、深夜までたたずんでいたと伝えられる。

さて、それからのキリスト教徒側の反撃の狼煙（のろし）は本格化する。まず各地の農園、なかでもバレンシアのオレンジ農園や山に数百メートルの深さの井戸を横に掘り、水を取り出して下方に流すイスラム式灌漑の方法など、現地で見学してみると、驚くほど精巧にできていた。

ほかにも金属加工の特殊技術、医術、毛皮加工の技術などには高い税をかけて技術者の残留を認めた。ただしイスラム教を棄教し、キリスト教徒となることが強要された。それを拒否すると、異端審問所に身柄を送られ、股裂きの刑、火あぶりの刑が待っていた。

　そこでイスラム教徒のなかには、北アフリカのフェズやラバト、カサブランカなどに逃亡していく者が続出することになり、その一部がアンダルシアの洞窟を隠れ家にしたとされる。

　だが彼らは、洞窟の長期滞在者とはならなかったようだ。麓からさらに下って、グラナダにコンベルソ（転向者）として、うわべはキリスト教徒としてふるまったか、ジブラルタル海峡を渡ってセウタの町にそのまま滞在したか、さらに南下してフェズなどに逃れたとされている。

　若き日に、北アフリカに逃れた彼らの足跡を追ったことがあるが、スペイン時代に身につけたと思しき技術や実在する潅漑の方式を見て、驚いたことがある。洞窟に棲みついてしまったら、彼らの技術の実績は北アフリカに残せなかったと思われる。

スペインに入ってきたジプシー

ジプシーがいつ、故郷のインド北部の周辺国を発ったか明確な史料はないが、ヨーロッパに現われたのは、15世紀初期とされている。ポーランド、ハンガリーをへてドイツに入ったのは１４０７年、記録上でフランスに出現したのは１４１９年８月のことであった。そのなかの一部は南下していったが、スペインのバルセロナに入ってきたのは、１４９９年3月のことであった。

彼らは、ドイツでは下級兵士として雇われた例もあるが、フランスとスペインでは盗みの常習犯とみなされたところから、盗賊の黒幕として芝居に登場したりする。すでに彼らの盗癖は、公に認知されていたことになる。

ひとは、正体がわからないものに対しては不信感をいだくのが常である。ジプシーたちの魔術の神秘性や奇怪な行動が不信感を増幅させ、差別につながったとも考えられる。

旅先でジプシーの野営風景を目撃したゲーテ（１７４９～１８３２年）は、〈詩

▲廃墟のままの洞窟民家

情に満ちた、ガラクタの山〉と、小説『ヴィルヘルム・マイスターの修業時代』（1796年）に記していることを、最近になって知った。

ゲーテが出会ったときよりも以前の15世紀当時、ドイツでもフランスでも、彼らが集団で都市部を移動する場合には、同じ場所に3日間だけの滞在が許され、4日目には立ち去らなければならなかった。このことも、流浪化を余儀なくされた背景にあるとも考えられる。そんなとき、〈ひと先ずは安泰〉にさせてくれたのが洞窟であった。

そこは隠れ家としてだけでなく、定住したり、夏や冬を越したりするにも

▲丘のふもとの洞窟と頂上の学校や教会などの公共施設（グァディス）

好都合だった。

　時流れ、今から45年ほどまえの夏、東欧諸国の田舎を50ccのホンダのバイクでのんびりと旅していたわたしは、幌馬車で生活している彼らと出会うことがあった。

　彼らは、スモモ畑で収穫作業に雇われた一隊であった。休憩している彼らの幌馬車を見たが、生活用具がそろっているジプシーの幌馬車は、まさに〈動く家〉であった。

　彼らを〈住所不定、不定期労働者〉ときめつけるのは簡単だが、そのときのわたしには〈ロマンを追う自由人〉

として、うらやましく思われた。スペインに戻ったわたしのなかで、それを契機に、アンダルシアのジプシー、洞窟に棲む人々への関心が高まっていくことになった。

古来人類は野山を駆け巡り、洞窟に棲んだ時代を経験している。だが今日、通常の人間が洞窟に棲むというのは、どういうことなのか、だれでもが疑問をもつに違いない。「洞窟に棲むという行為は、動物的である」とか、悪人が棲む特殊な場所という思考が潜在しているからだろう。

それでもなお、今日でも人間の住処となっているのは、錯綜した人間社会と、近代文明を断ち切ったときの解放感のなせる業とみるしかない。

3

洞窟で生きるということ

シシリア島での小さな体験

21世紀の現在、洞窟住居に棲むといっても、われわれの生活感覚からすると、あまりにも隔たりがありすぎて、ピンとこない。

ことに日本人には、縄文時代以前のよほど遠い古代史の時代は別として、洞窟とのなじみなどはほとんどない。ましてや、そこで生活を営むことなど、よほど奇想天外な発想の産物でしかない。

わたしは30代の初期から中ごろにかけて、在学中のスペインのマドリッド大学の夏休みを利用して訪れたシチリア島でおもしろい体験をしたことがある。

シラクサ郊外でにわか雨にあい、偶然みつけた大きな洞窟で雨宿りをしたときのことである。

自然の洞窟らしくて天井の高さが20メートルもあり、手ごろなベッドのように掘られた箇所もいくつかあった。後でわかったのだが、そこは古代ギリシャ、ローマ時代、あるいはそれ以前から、地中海を航行する舟びとたちの中継点であったそうだ。

洞窟で寝泊りもしていた彼らは、ここで焚火をして暖をとったり、調理したりしていたのだ。

激しい外の雨音を遠くに聞きながら、わたしはロマンの世界を脳裏に描いてみた。まわりの黒い世界、魔性を秘めた赤々と燃えた火、ときどき聞こえてくる雷鳴と、稲妻の妖しい光……これはフラメンコの世界そのものであるし、大地をさまようジプシーの世界にも通じている。

彼らが非日常生活がつづく旅の空であみだした独自の占星術、見つけた洞窟のなかで生みだした、妖しげな心霊と魔術。

その後彼らはピレネーの裾をかわし、流れ流れてスペイン南部のアンダルシアの洞窟に住処をみつけることになる……と、これは自然の流れだったのだ。

シシリア島シラクサ郊外で、偶然入り込んだ洞窟だったが、いつしか雨はあがっていた。

寝袋と水・食料さえあれば、しばらく滞在してみたいものだ。ワインがあればなおさらいい――。

わたしは真剣にそう思ったのである。

持てない生活、持たない生活

さてグラナダの東60キロのグァディス。彼らの洞窟住居に入ってまず気がつくことは、家具がなく、あるのはテーブルとイス、ベッドだけである。そのほかには鍋、釜、食器類。すべてはそれだけである。衣装といえば、それぞれの寝室に棚の形に壁がくり抜いてあり、漆喰で白く塗られている。衣類はたたんでそこに積んでおかれるから、くり抜き型の家具というわけだ。

物をもたないことの快感、物質からの解放感は、安心感にもつながっている。人生の後半にいるわたしには、ずしっとくる光景である。

考えてみれば、自分の身のまわりで、〈これがないとすぐに困る〉物は、意外と少ない。

古い骨董の類、絵画、エトセトラ、エトセトラ。本も書庫代わりの物置に移した

▲洞窟住居の寝室（グァディス）

り、粗大ごみとして出してしまったものも少なくない。

それでも仕事部屋には本があると、安心感、充実感につながるから、捨て切れない。

終戦間近、山下奉文（ともゆき）陸軍大将は、比島のルソン島で強力な米軍に追われ、部下を率いて北に敗走していくときのことである。山下大将がポケットに忍ばせていたのは、岩波文庫の『正法眼蔵』であった。彼の心を深くとらえていたのは、「生死（しょうじ）の巻」の、

〈仏となるに、いとやすきみちあり。もろもろの悪をつくらず、生死に著する心なく、一切衆生（しゅじょう）のために、あはれみ深くして、上をうやまひ、下をあはれみ、よろづをいとふ心なく、ねがふ心なくて、心におもふことなく、うれふることなき、これを仏となづく。又ほかにたづぬることなかれ〉

であった。

組織が大きく崩れ落ち、自身の死を目前に控えて覚悟をきめるときの、心の預け先にこだわったのである。すべての欲望を断ち切ったことも、後押ししたのであろう。だが、場所がジャングルのなかではなく、洞窟だったら、もっと相応（ふさわ）しかった。

アフリカに戻ったイスラム教徒の驚くべき知恵

さて、アンダルシアの洞窟の先住民だったイスラム教徒たちは、もとを正せば遊牧民であるから、旅の連続であった。毎日が非日常の生活では、物をもたないことが生活技術の基本、移動生活の基本である。

遊牧にはテントをもって出るが、砂の上に敷く絨毯は唯一の家具である。かつて北アフリカ・モロッコのサハラ砂漠を調査したとき、単独行動のわたしは通訳兼ガイドをつけ、四輪駆動のランドローバーで旅をしていた。

運転手は素足の若いベドウィンだったが、見事な運転技術を披露した。砂漠は遠くから一見すると、平らな砂原にみえるが、近くで見ると、ひどいデコボコの連続である。

ある日のこと、2匹の単峯ラクダを見つけると、ガイドと運転手は、すぐにベドウィンたちのテントを見つけだした。飼いならされたラクダは、テントからさほど遠くまではいかないという。付近には羊も100頭ほどいて、石ころの間のわずかな草を食んでいた。

小さな起伏の日陰側に、くすんだオレンジ色のテントの一方の半分ほどが開けはなたれている。家族はなかでごろ寝しているらしい。車を裏側に止めると、ガイドはゆっくりテントに近づき、長老と何事か話しはじめた。

家族は長老のほかに女ばかり5人いて、息子たちふたりは、町の市場に女たちが紡いだ毛糸と羊を15頭売りに行き、小麦粉など食料を買って5日後に戻るという。長老は、

「息子たちの帰り道には、恵みの雨が降る。昨夜は星がキラキラ瞬いていたから4日めに雨になる」

と言った。

星がキラキラ瞬くと雨が近いのは、空中に水蒸気があるために光が通過する際、乱反射するからである。さらに、キラキラの度合いによって水蒸気の量がわかり、結果的に〈何日後に雨が降る〉と断定できることをわたしは知っていた。

このことは、前年のマドリッド大学サハラ砂漠調査隊に参加したおり、別のベド

ウィンのグループの長老から教えられていたからである。

しかし今回、あらためて驚いたのは、この家族は薄い絨毯、水の入った小さなポリタンクとスコップ以外に、荷物らしいものはもっていなかったことである。

スコップは水を掘りあてるのに必需品であった。サハラ砂漠といっても北アフリカであるから、冬になると雪に覆われるオートアトラス山脈が遠くにみえている。

以前、4月半ばに自分の運転でこの山脈を越えたことがあったが、道路の両側にはまだ雪がかなり残っていた。雪は水を貯金しているようなもので、徐々に解けて伏流水となって水脈に沿って流れ下ってゆき、オアシスとなる。

そして今いるベドウィンたちのテントの近くにも、わずかな草のほかに、太い木が生えているところがある。

長老によると、いちばん大きな木のまわりを少し掘り下げてから太い根を探しだし、その根に沿って掘っていくと水脈に出会うのだそうだ。

根は水脈を求めて、伸びていくからである。

「食料は？」

とたずねると、通訳を介して、

「羊の乳を飲んでいる。最悪の場合は、ハネとされる貧弱な小さなオスの羊に、アラーの祝福の言葉を唱えてから、屠ることになる」

と、言った。オスはグループの個体数を増やすために、屈強なものだけが残され、ハネは淘汰されることになる。

なるほど物などもたなくても、生きていけるわけだ――。

生きるための、砂漠の民の知恵には脱帽である。

物をもたないほうが思想を生む

パリ郊外のベルサイユ宮殿のなかに一歩入ると高価なタピストリーや家具、調度品の数が多いのには驚いてしまう。

一方、グラナダのアルハンブラ宮殿には家具はもちろん、椅子ひとつないことに、新鮮な驚きを感じることになる。元来が物をもたない主義に徹していたからだ。

この宮殿の造りは、片膝ついて座ったり、体を横たえたりして眺めるのが最も美しい、とされる理由にも納得がいく。

▲廃墟となった山奥の洞窟（グァディス）

イスラム教徒が出て行ったあと、アンダルシアの洞窟の住民となったジプシーも、日ごろは旅から旅への生活であるから、物は極力もたないようにしていた。

そして今日、新たに洞窟の住民の仲間入りしたスペイン人や外国人たちも、ここにはほとんど物をもち込まない。

「物事を深く考え、沈思黙考して静寂なる精神生活を大事にするには、できるだけ簡素な生活がよい」

鎌倉円覚寺の住職朝比奈宗源はそう言っていたが、日本の寺も、中国西安の古寺の僧たちの居室もいたって簡素である。

三蔵法師がインドからもち帰った、サンスクリット語で書かれた経典を翻訳したことで知られる慈恩寺でも、あるのは小机ひとつだけである。

この光景を思いだしたとき、洞窟の住民の一人が言っていた、

「われわれの文化のほうがレベルが高い」

という意味を理解した気がしたのである。

現代文明の息苦しさについて

だが近年、アンダルシアの洞窟の住人の層が替わり、非ジプシーのスペイン人や欧米人が増えてきた。この傾向はさらにつづき、数のうえではすでに逆転している事実は、どう考えればよいのか。

これは、洞窟暮らしが奇異な情景にみえた人間の側の思考に、大きな変化が現われてきているとみるしかない。たしかに、水道・電気が通じ、移動手段もロバや徒歩ではなく、車になってきた。

それでも物を極力もたない生活であることにはかわりなく、新しく住民になった人たちも、簡素な生活を送っていた。彼らが口にするのは〈やすらぎ〉〈静寂〉〈安心感〉〈壁の厚みへの信頼感〉。そして口にこそ出さないが、死者が土に還る孤への回帰が根底にある。

それだけ、人々の間に、現代文明への信頼感が揺らぎはじめている、ということか。

元来、急ぐのが苦手で、冬でもシエスタ（午睡）をし、午後はほとんど働かないこの国の人たちにとって、スピード、効率、便利さといった、生産性を最優先する生き方に、多くの者が疲れている。

あまつさえ、資本主義のかかげる〈数値目標の達成〉が幅をきかせる生産性優先の社会、がんじがらめの法理論のもとに、人間が管理されている状況が背景にある。

あるスペインの経済学者が言っていた。

「資本主義の行き過ぎで、国家の制度の根本が揺らいでいる。二酸化炭素排出量に上がり止まりがみえず、地球環境の劣化は人類の繁栄基盤を根底から切り崩している」

多岐にわたる分野の研究者たちが、この種の警鐘を鳴らしはじめたのは、昨日、今日ではなかったという、深刻な現実もある。

それまで享楽を優先するのんびり志向だったこの国の人々にとって、これは耐え難い状況になっているのも無理はない。われわれ日本人と違い、そんな生活に慣らされていなかったのである。

そこでとった小さな行動のひとつが、ここグァディスにもみられるようになった。

▲山の中腹にも洞窟住居（グァディス）

▲丘の頂上の教会と洞窟に棲む少年たち

丘の中腹に棲みはじめたファン・フェルナンド・ドゥカイ一家。麓のバール（居酒屋）の親切なおやじさんから紹介された中年の夫婦である。

ご主人のファンは、まだ40代後半で、同学年の奥さんインマクラダとは、バルセロナ大学で知り合った。大柄のファンはあごひげがフサフサした男で、４００年前のスペイン黄金期に君臨したフェリペ２世に似ているが、笑うと温和な表情のなかに人の良さがみえていた。「わたしは大学では電子工学が専攻でしたから、バルセロナにあるＩＴ関連の企業にいました。データの集積と解析が仕事で、いつも数字とグラフのにらめっこです。およそ人間の血が通っていない、情感などとは無縁の世界だったから、10年をすぎたあたりから疑問をもちはじめて、15年後には体調も悪くなりまして」

「ファンはドアも自分で開けられないことがあったのよ。あのままにしていたら、死んでいたかもしれないわね。それでわたしが強制的に神経内科に通わせるようにして、最終的に医師から転職と転地療養を勧められたというわけ」

彼は奥さんに疲れていたせいもあるのかもしれない――。

わたしは密かに、そう考えた。奥さんのインマ（インマクラダ）は、かなりの美

▲洞窟群の一角（グァディス）

人ではあるが、性格のきつそうな人らしかったからである。

「それで友人の勧めでグァディスに移ってきて、洞窟住居を購入したのです。とても安かったし、生活もぜいたくさえしなければ、十分やっていけるし」

「おかげでわが家の家計は脱成長ね。でも主人の体調がよくなったから、ま、いいかなと」

そこで彼女自身はどうなのか。ホンネを聞いてみることにした。

「たしかにはじめは躊躇したわよ。わたしも会計事務所で働いていたし、子供はまだ高校生だったから。友だちも大勢いたしね。

それを夫婦そろって仕事をやめるだけでも、エエッ！　なのに、穴倉暮らしなんて突拍子もないでしょ？

でもふたりで見学してみたら、穴倉ではなくて……洞窟は違っているんですよ。それで、これはおもしろいかも……となったわけ。それからはもうすっかり、はまっています」

そこで主人のファンが話を振ってきた。

「わたしもはじめは乗り気でなかったのですが、物ごとはそのほうが長もちするんです。はじめから期待しすぎると、こんなはずではなかったとなるし。そうなると、あとはネガティブな面がどんどん支配的になって、やっぱり元の世界に帰ろう、となるんです。

でも数値やデータのような無機質なものに支配されている世界には帰りたくなかったし、今もそれはまったく変わっていません」

とフアンは真面目な顔で言った。

そこでわたしは彼に同調することにした。

「おっしゃるように、冷暖房完備の都会のビルやマンションで、パソコンとにらみ合っている生活なんか、異常ですね。

わたしですか？　わたしは自然流に生きるのが好きでしてね。いつもフィールド・ワークと称して、関心のある世界を歩いて、現地の人と同じ空気を吸って、同じものを飲んだり食べたりすることにしているんです。現場主義に徹して、地酒のワイン、地元産の生ハムや料理にこだわっています。

少し格好よくいえば、比較文明・比較文化論の世界からみると、結局スペインにあって、アンダルシア、アンダルシア人とは何なのかを、模索しているところです」

ふたりはうなずいていたが、奥さんが笑いながら言った。

「洞窟に興味をもったりして、はじめはヘンなハポネスだと思っていたけど……そういうことなのね」

たしかに、何でも見てやろう、知ってやろうの精神旺盛なわたしは、ここではヘンな日本人なのだろう。

この夫婦はふたりともバルセロナ生まれのカタルーニャ人だが、

「アンダルシアは遅れている田舎にすぎないと思っていましたが、アンダルシアの良さがわかってきました」

とフアン。

「いまはどんな日常生活を送っているのですか？」

とわたしは話題を変えた。

彼らは、好きな読書をする時間をもてるようになった。バルコニーに出て日の出を拝み、日没を見送ることもある。

夜には、夫婦そろってテレビドラマにはまっているといっていたが、毎日気晴らしに丘を下ってきて、麓の町のバールでワイングラスを傾けながら、店のおやじや、知り合った人たちと楽しい時間を過ごしている。長い伝統のあるスペインのバール文化は、精神安定剤でもある。

夫妻はときどき車で北上して、ドン・キホーテと従者サンチョ・パンサが駆け抜けていった風車の村の丘に登り、ラ・マンチャをわたる風のなかにたたずんでいる。

「大きな日輪のなかに、羊の群れが列をなして落ちていく光景には、胸が熱くなりますよ」

とフアン。隣から奥さんのインマが、

「そんなときって、涙を流すんですよ。感情がゆたかすぎて、見ていて疲れちゃうわ」

かと思うと、彼らは海辺まで遠出して地中海を眺めたりしている。バルセロナの学校にいる娘と息子に会いに行くこともあるが、奥さんが言っていた。

「グァディスに帰ってくると、ホッとするわね。子供たちは4カ月もある夏休みと、10日間のクリスマスの休みに帰ってくるから、ちょうどいい間隔だし」

たしかに、アンダルシアには太陽の香りがあるといわれるが、単にやすらぎだけでなく、詩人ガルシア・ロルカがいうように、人を深い思考に引きずり込むような、深遠な魂を宿しているのかもしれない。

マドリッドにいる心理学者が言っていた。

「都会の建物一つとっても、直線的だ。それだけではなく、目に入るもののほとんどが、あまりにも一直線すぎて、それは、えぐるような鋭さといってもいい。

これが人々を殺伐とした空気に晒しているだけでなく、都会のもつスピーディーさと危うさが、耐え難くしている。人の動きを見ていても、都会の人はいつも何かに追われている」

東京では当たりまえの光景であるが、時間の流れがゆったりしているアンダルシアの田舎では、こんな光景はまずお目にかかることはない。

時間の流れだけではない。グラナダ山中に棲みついている日本人の画家が言っていた。

「アンダルシアでは、目につくものがみんな丸く、厚みがあるんですよ。建物のような、人間が作り上げた物体だけでなく、人間の心にもどっしりと地に深く根をおろした生活感、ボリューム感があります」

たしかにアンダルシアには、異邦人からみても、彼らの心を熱く捉える、何かがあるのはたしかだ。そこには、粉飾された世界の白けた心などとは無縁の、スケールの大きい大地にしっかり根を張った、素朴でしたたかな本音の姿もみえている。
これをわたしは、アンダルシアの魂と呼ぶことにした。

洞窟住居の住民

グァディスの町だけでなく、アルマンソーラ（グラナダから東へ200キロ）で、はじめて洞窟住居の観察と聞きとり調査をした40年まえと、その後ほぼ10年毎に訪ねた様子と比べてみると、様変わりしたのは住民層であった。

40年前は、洞窟の民家として町役場に正式に登録された戸数が少なかったのは、住民のほとんどがジプシーだったためである。いや、ジプシー

▲アルマンソーラの家族

だけではなかった。

戸口が開いていて、なかに人がいる気配がうかがえたので声をかけてみると、アフリカからきた黒人の若者たちであった。女性もいたから、数家族が同じ洞窟住居に居住しているらしい。わたしの勘では、セネガルあたりからきたらしい。

マドリッドの中心地のプエルタ・デル・ソル周辺には、セネガル人たちが路地の一角に幅広い布を敷いて革製品を売ったり、ボンゴをたたいて小銭を稼いでいる光景を何度も見ていたからである。公用語のフランス語が話せる彼らは、いずれフランスをめざす連中である。

そこまでの交通費を稼ぎたい彼らは、路上で商売しているが、ときどき、意地の悪い警官がやってくると、大急ぎで荷物をまとめ、脱兎のごとく走り去る。みんな足が長くて走るのが速い。

警官は退屈しのぎに意地悪をしているらしく、苦笑するだけで彼らを追いかけたりはしない。

アルマンソーラの洞窟群の一角でみかけたこの黒人たちも密入国者たちらしい。

アルマンソーラは地中海の海辺から近く、夜の闇にまぎれて上陸して、しばらくこ

▲住居は洞窟の中（アルマンソーラ）

こに滞在して旅費を稼ぐのである。

彼らは警戒してなかなか口を開かず、仲間同士で顔を見合わせていたが、スペインの官憲とは無縁の、単なる異邦人だとわかったらしく、表情をゆるめた。

「やあ君たち。わたしは日本人で、アンダルシア地方が気に入って旅しているだけさ。君たち、仕事は何しているの？」

フランス語が話せないので、英語でそうたずねてみた。

「農園主のところでオレンジの収穫作業をしているんだ。今日は日曜日だから仕事は休みだけど」

「その後は？」

「パリに行くつもりさ。あちらには友人がけっこういるからね」

うまくはないが、年長の男が英語で返してきた。わたしは肝心なことを聞くことにした。

「洞窟住居の棲み心地はどうかね？」

「家賃はかからないし天国だよ。風が吹こうが、雨や雪が降ろうが、関係ないし」

「部家はいくつあるの？」

▲崖の中の住居（アルマンソーラ）

▲アルマンソーラの住居群

「8部屋さ。共同で使うリビングもある」

そこへ若いほっそりした女性が、大きな買い物袋をさげて帰ってきた。市場で食料を買い込んできたのだ。はじめはけげんな顔をしていたが、仲間がわたしとにこやかに話しているのをみて安堵したらしい。

彼らは休日でも極力外出を避け、食料の買いだしも、ひとりだけですませている。明らかに、まだ密入国して日が浅い連中である。

洞窟は天国だといったが、彼らは絶好の隠れ家をみつけたものである。この地でお金をためて、フランスに行くらしい。

麓の共同井戸

アルマンソーラもそうだったが、グァディスでも40年ほど前は、共同井戸は丘の麓にあったために、比較的裕福な家庭で占められ、上に登るにつれて貧困層が多く棲みついていた。

麓の洞窟に棲んでいたのは、ジプシーのなかでも家畜商などで羽振りのよい家族

青春新書 INTELLIGENCE こころ涌き立つ「知」の冒険

青春新書インテリジェンス

リーダーとは「言葉」である
リーダーの器とは何かを浮かび上がらせる77の名言・名演説
向谷匡史　990円

ボケたくなければ「奥歯」は抜くな
認知症予防のカギとなる〝奥歯〟を守る、正しいセルフケア方法を紹介！
山本龍生　1045円

英会話 言わなきゃよかったこの単語
日本人がつい言いがちな「たった1語で違う意味になる英語」紹介。
デイビッド・セイン　990円

脳科学者が教える「ストレスフリー」な脳の習慣
仕事の不安、人間関係のイライラは「1日5分」の習慣で消せる！
有田秀穂　1067円

自衛隊メンタル教官が教える 心をリセットする技術
元自衛隊メンタル教官が教える、心をリセットして新しい一歩を踏み出すヒント
下園壮太　1144円

（科学的根拠）「エビデンス」の落とし穴
医師で医療ジャーナリストの著者が「エビデンス」の真実をわかりやすく明らかにした一冊
松村むつみ　990円

血糖値は「腸」で下がる
無理な糖質制限をしなくても〝夕食のひと工夫〟で血糖値は下げられる！
森 豊　松生恒夫　1089円

自分で考えて動く部下が育つ すごい質問30
「あの人、部下への言い方うまいよね」と噂される人の神ワザを初公開！
大塚 寿　1012円

〝スカノミクス〟に蝕まれる日本経済
大衆受けする政策に隠された〝奸佞首相〟の思惑と下心とは!?
浜 矩子　990円

最速で体が変わる「尻」筋トレ
トップトレーナーが教える、1日5分、世界標準の全身ビルドアップ術！
弘田雄士　1078円

教科書の常識がくつがえる！最新の日本史
時代を動かした〝7つのターニングポイント〟とは！
河合 敦　1078円

人脈・アイデア・働き方… ビジネスが広がるクラブハウス
人気沸騰中の音声SNSアプリ「クラブハウス」をビジネスにどう活かせるか
武井一巳　1078円

語源×図解 くらべて覚える英単語
大人気シリーズ著者最新刊！「語源」と「図解」で英単語がどんどん頭に入る！
清水建二　1210円

2035年「ガソリン車」消滅
脱炭素、電動化、自動運転…「100年に一度の大変革」で生活はどう変わるのか!?
安井孝之　990円

還暦からの人生戦略
〝知の巨人〟が教える、還暦以降の人生を最高に仕上げる実践的ヒント
佐藤 優　1045円

ストレスの9割は「脳の錯覚」
〝思い込みのワナ〟から自由になり、ストレスから解放される方法を紹介！
和田秀樹　1144円

2108-B

か、少々風変わりな非ジプシーで、奥地に進むほど、貧困層や移動性のジプシーの割合が多くなっていた。

水くみがいかに重労働だったか、中年の太ったジプシーのおかみさんが言っていた。

「水くみは昔から女の仕事だったんだよ。共同井戸ができるまえは、大きなビンを肩でかついで下の小川から毎日5往復、6往復さ。肩が抜けてしまいそうに重かったね。軽くすると10往復もすることになるから、がんばったよ。だからここの女たちの腕は頑丈なのさ」

自慢げにみせてくれた太い腕には、青い奇怪な動物の入れ墨が彫ってあった。

その後、水くみの仕事と燃料の枯れ木の運搬はロバに替わったが、なるほど彼女の家の戸口の隣には、ロバが2頭飼われていた。

洞窟と麓の町はがれきの坂道であるうえ、階段状になっている箇所も少なくないから、ロバは貴重な移動手段だった。それでも後に町の予算で、車が通れるように、坂道が舗装された。

通常、ジプシーの外観の特徴は彫りが深く、目も髪も漆黒で、とくに目付きは深い。肌も地肌の浅黒さに日焼けが加わり、垢まみれな場合が多い。

しかしこのおかみさんとは、その後も数回顔を合わせたが、不思議なことに肌は浅黒いのに、髪は赤茶けて瞳は水色をしていた。白人の血も入っているらしい。

ある日、魚のフライを口いっぱいほおばりながら戸口に出てきたおかみさんが、ベトベトした手でわたしの手を握ってくるのには閉口した。

家のなかを見せてほしいと頼んでみると、声を落として、

「亭主がうるさいから、だめだよ。夕方まで帰らないけど、家族がいるから」

と薄笑いを浮かべた。

ジプシーの男たちは警戒心が強く、女たちがほかの男と話したり、とくに異邦人と話すのを嫌う。見つかるとムチ打ちに遭うのが、ジプシー社会の掟なのだ。

彼女らには娘が3人、息子が2人いる。職業を聞いてみると、

「うちの亭主は目利きのいい馬喰さ。馬とラバのほかに、頼まれればロバの仲買もやっているよ」

と言ったが、郊外の農園にお得意をもっている。

彼女はグラナダの生まれだが、その当時は定住者ではなかった。一族と放浪の末に亭主を見つけ、20年まえからグァディスの洞窟住居に棲みついた。

年間を通じて雨量の少ないアンダルシアだが、距離は離れていても、冬には雪に覆われるシエラネバダ山脈が走っているから、グァディス地区の低地では伏流水が小川となり、涸れることはない。

高所の洞窟には金持ちが棲む

１９７０年代末期でも、闇の巣窟とみなされ、ジプシーが棲んでいた洞窟群にも変化が起きていた。その後、２０００年夏の調査では、非ジプシーが半数近くを占めていて不思議に思ったが、さらに10年後にきてみると、洞窟住居の構成員が変わっていた。

以前には麓の周辺には比較的経済的余裕のある人間たちが住み、高所や谷間の向こうの奥に入るほど、低所得者層ないし職のない人間たちが住んでいたのに、丘を登るにつれ、白い戸口のまえに置かれた車が、ベンツやBMWのような、高級車になっていた。

水道、ガス、トイレが完備されると、住民の構成員に逆転現象が起きていたのは、斜面を上に登るほど、下界が遠くまで見渡せることが理由であった。後押ししたのは車の普及である。

2018年度の数値では、グァディスの洞窟住居のライフライン普及率は、95パーセントに達している。最も大切な水は、山の頂上に大きなタンクが設置され、水圧を上げていたが、この数値は、奥地の洞窟は対象となっていない。

現在、このようなグァディスの洞窟住居は、統計上は1574戸だが、さらに谷間の奥の人里離れた洞窟は、廃屋のままになっているものも少なくない。

谷間の奥地にも洞窟住居

石ころだらけの坂道をさらに登っていくと、洞窟住居は、枯れたペンペン草やイネ科の植物のエスパント草に埋もれたまま、風のなかにポツンとたたずむばかりで

▲グァディスの洞窟群

あった。

欠けた皿、焚火の跡に、たしかにここに人の営みがあった痕跡を遺しているばかりである。明らかに、ジプシーが旅に出るまでの生活の跡だった。

だが異邦人は、早合点にすぐに気がついた。廃墟は入口だけで、谷間を奥深く入り込んだ一角には、内部の壁や外の壁を真っ白に漆喰で塗り直し、さらに掘り進んで拡張された洞窟がいくつもあった。

手前の家は、戸口の周囲の白壁に沿って、シーツや下着の類が、万国旗のように、風のなかにはためいている。昼食用に肉を焼いているのか、開いた戸口の奥から、オリーブオイルとニンニクが混じった香ばしい匂いが流れ、母親の甲高い声、子供の笑い声や泣き声が流れてくる。

そこへ、自転車に乗った小学生と思しき兄弟が帰ってきた。そろいの半袖に半ズボン、短く刈り込んだ黒い髪に、茶色の目がすがすがしい。彼らのシャツには、プリントされたベッカム選手が、誇らしげに笑っている。彼らの自転車は、いずれも五段式のニュー・スタイルだ。

「オラー」

▲洞窟の住民の子供たち（グァディス）

▲旅に出たと思われるジプシーの洞窟住居。入り口付近に生活感が残る

「オラー」

子供たちは異邦人に、奇異な視線を送ることはない。地球の裏側から来た風変わりな小父さんを、同じ人生の仲間とみているらしい。子供たちは自転車を放り投げるようにしてから一べつをくれると、戸口からなかへかけ込んでいった。

「おそかったねえ。みんな待っていたんだよ」

なかから、甲高い母親の声が出迎えた。後で知ったのだが、彼らは洞窟に棲みついた二代目と三代目で、普通のスペイン人だった。廃墟を手に入れて改装した洞窟住居であるから、家賃は無料である。主は瓦職人だった。

戻ってきた住人たち——カニャーダ氏一家の場合

だが都市に棲むスペイン人のなかには、酷暑の夏と極寒の冬になるまえに、この洞窟に戻ってくる者が増えている。しかも近年ではイギリス人、フランス人、アメリカ人の姿もみられるようになった。季節によって棲み分けている人たちである。

なかには、帰巣本能のなせるわざか、あるいはまるでサケのように、外界を遊泳してから、生まれ故郷の川に戻ってくる生態にも似ている。生まれ育った洞窟の生家に、新しい家族をつれて戻った人たちで、その後、再び洞窟に棲みついてしまう人間たちである。

アンダルシアのほかの山岳地帯の麓にも、スペイン人たちのなかに、背広にネクタイ姿で職場に向かう光景が、みられるようになった。職業は教員、銀行員、公務員と様々だが、彼らこそ21世紀型の、輝けるアンダルシア人なのである。物をもたない文化、光の世界から闇の世界への回帰を志向する人間たちである。

洞窟の高級別荘

グァディスの洞窟群は、２００１年の夏に訪ねてみると、すっかり様変わりしていた。洞窟民家が増え、電気はもちろん、シャワー、水洗トイレも完備していたからである。

「それまで水くみは、重労働だったよ。大きな水瓶をかかえて小川や泉に降りて水を入れ、それを肩に背負って急な坂道を帰ってこなければならなかったからね。今でも、やっている連中もいるけど」

腕と下唇の下に青い刺青をした、ジプシーの中年女性が、そういっていた。みんな一様に答えが返ってくるのは、水くみである。

それ以前に訪ねたときは、どの家でも正面の戸口から入ると、最初の居間の天井に、ランプが2つ架かっていた。まだ電気もきていなかったし、水道やトイレもなかった。

それでも、正面東の戸口を開け放すと朝日が差し込み、反対の西側の壁には、大きな鏡が壁にかかっていた。これが反射して室内を明るく照らしている。

外部だけでなく、部屋のなかも真っ白く漆喰で固めるのは、臭気を吸収し、水滴や砂の落下を防ぐほかに、小さな光を大きく反射させるためだった。

外の世界の人には、洞窟内は鼻をつままれても分からないほどの暗闇と思われがちだが、実際には、教会やカテドラルのなかのような薄明るさである場合が少なくない。

天上の空気孔からも光は漏れてくるし、隣室の外の戸口が開け放たれていると、トンネル状の通路の向こうからも、ぼんやりした光が差し込んでくる。

そして8年の歳月の間には、洞窟住居にも近代文明がもち込まれていた。こうなると、世の中にはビジネス・マインド旺盛な人間がいる。自分の洞窟住居を拡大して、ホテルにしてしまった人間が現われた。

洞窟ホテルへようこそ

グァディスの麓の町のホテルを引き払い、坂道を登った洞窟群のなかのホテルに移った。食事は麓の町ですませたが、終日、洞窟内に滞在するのには、当然のことながら戸惑いをおぼえた。

水道もトイレも完備しているから取り敢えず問題ないのだが、沈黙の世界にいると、遠い遠い異次元の世界にたった独り取り残されたような、寂寥感に襲われた。家族や友人、知人が急に遠い世界に行ってしまった。そのとき頭をかすめたのは、死の世界のことだった。

「そんなときは瞑想するといい。わたしはイエス・キリストの姿を見つめていたよ。

豊かな心持になるのに時間はかからなかった」

以前知りあった、住民の老婆の言葉を思いだした。

キリスト教徒ではないわたしの場合は、さしあたって三途の川を渡ってたどりついた極楽浄土の世界ということになる。

水晶のような清涼な水が湧き出る、泉のほとりにたたずんでいる自分を想像してみた。そのとき、亡き母や先に逝った友人たちを思い浮かべてみたのだが、微笑んでくれることはなかった。

夜、ベッドに入ると、壁の向こうの隣家は五〇メートル、七〇メートル先と思うと、安心感と寂寥感が交差した複雑な心持になった。先の老婆の心境になれるのには時間がかかりそうだが、それでも２日後、３日後になると、〈独房も悪くない〉と思われた。

しかし洞窟群の住民の多くは、家族単位で棲んでいる。彼らがそろって食卓を囲むことは、家族の絆の原点である。朝は自家製の焼き立てのパンと山羊のチーズ、そして昼と夜には生ハムか、オリーブの漬物そしてワインがつく。

昼食後にはシエスタ（午睡）をし、夕飯の後には長い語らいがつづく。戸外は吹

▲洞窟住居を改装した洞窟ホテル（グァディス）

雪であろうと、酷暑の盛りであろうと、ここは天国である。

散歩のために洞窟ホテルを出て、下に降りてくるといろいろな光景に出くわした。なかには迫り出した外庭にニワトリを飼っている家もあって、微笑ましかった。

朝方、日の出を拝もうとして洞窟を出たとき、下のほうでコケコッコーと、けたたましい鬨の声をあげていた連中かもしれない。黒や茶色のニワトリたちは飽きもせずに足元の土を掘り返している。虫を探しているらしい。

卵はちゃんと小屋で産むのかな？

少々気になったが、下は深い崖だし左右は高い土手だから、逃げるわけには行かないことがわかって安心した。勝手にどこに産み落としたところで、人間たちは簡単に探し当てることができるからだ。

定年後に戻ってきたロサーノ氏一家

早朝から戸口に出ている夫婦を掴まえて、聞いてみた。ホセ・ロサーノ氏は65歳、妻のマリホセは63歳だった。ホセがこの家を親の代からうけ継いでいたが、若いころはマドリッドのセアット（イタリア・フィアット社のスペイン工場）自動車工場で働いていた。

マリホセとは、マドリッド時代に知り合い、結婚して5人の子供を育てたが、5年前、退職を機に戻ってきた。今は年金暮らしである。

夫婦には孫が7人いた。長女は夫を事故で亡くし、子供たちを連れて、この洞窟に舞い戻ったのだという。

「この町には仕事がなかったから、仕方なく都会暮らしをしていたけど、やっぱり故郷はいいね。都会暮らししか知らなかった女房も、ここが気に入っているよ」

隣の細君を見やると、マリホセも相槌を打った。

「若いときから、休暇になると夫と一緒に里帰りしていたから慣れていたけど、はじめから抵抗感はなかったわね。静かで寂しすぎるのが難点かしら」

今度はホセが、つづけた。

「長女はグラナダで、住み込みの家政婦しているんだ。小学校に通う2人の孫を預かっているから、週末には会いにくる。

マドリッドに棲んでいる息子や娘も、家族連れでときどき訪ねてくるから、10部屋あってもちょうどいい」

ホセも、子供時代は水くみが大変だったと言った。

「20リットルのカンを、1キロ下の共同水場からもって帰るんだ。1日、5往復だよ」

水道のない時代、スペインでは水くみは庶民の大事な日課で、これはいつの時代でも、女や子供の仕事だった。200年以上まえのゴヤの絵画にも、若い娘たちが肩に水瓶をかつぎ、家路についている光景が、数多く描かれている。

日本のように、家の庭の片隅に井戸を掘るようなことは、ここでは不可能に近い。晩秋から初冬にかけて、短い雨季がある以外に雨がほとんど降らないアンダルシアでは、「水は天からもらい水」というわけにはいかない。谷底の泉や、小川の水に頼るしか、方法がなかったのである。

現在では、山の高台に貯水所ができたおかげで、洞窟にも水洗トイレとシャワーがついた。もちろん、貯水所にはモーターで水がくみあげられる。

ホセとマリホセ夫妻は、昼間はたいてい戸口の外に椅子をもち出して、麓の風景を眺めている。それでも朝夕、彼らの家のまえを通ると、奥から子供の声とイワシを焼いている匂い、ニンニクとオリーブ油の香りが混じった焼肉の香ばしい香りがした。ごく普通の生の営みが、ここにはあった。

洞窟に棲むフランス人家族

坂を登っていくと、高級そうな最新のシトロエンが目にとまった。こんな車に乗って洞窟に棲むとは、一体どんな連中かな——。興味しんしんでいたのだが、彼らと知り合う機会は翌日にやってきた。朝夕の散歩で、挨拶を交わすようになったからである。パリからきたフランソワーズさん一家だった。

夫婦のほかに子供3人、そして旦那の兄弟の家族2世帯が夏のパリを避けてここに戻ってきたのだそうだ。山荘の最上階には、見晴台がついていて、わたしのホテルとはわずかな距離なのに、ここまで登ってみると角度が変わっていることに気がついた。

遠くの向かいにある平らな丘の頂上付近にも、洞窟群が張りついているのが手にとるようにみえる。

フランソワーズさんは、部屋のなかをこころよくすべて見せてくれた。ほかの古い洞窟群よりは部屋は幾分小さかったが、それでも2組の夫婦のほかに、5人の子供たちもそれぞれ自分の居室が与えられていた。

狭いといっても、入ってすぐの居間は、20畳もある。グァディスより、アルマンソーラの洞窟の部屋のスペースが広いのは、岩盤の質が硬く、優れた強度のためだそうだ。

15歳の長男は、ベッドの脇にノート・パソコンをもちだしてテレビゲームに夢中になっていた。

「パリと比べてここはどうですか?」

ありきたりの質問に、パリジェンヌだという奥さんが、にっこり笑って言った。

「パリはいい所だけど、ここはまったく次元の違う世界なんです。わたしたちは、夏と冬のバカンスにはいつもここで1カ月過ごしています。命の洗濯にね」

パリの道ゆく人たちは、異邦人には冷たい印象を与えるが、フランソワーズさん一家はまったく違っていた。

洞窟志向の人間は、意外と話好きなのかもしれない。しかし、もしかしたらこの彼らも、パリに戻るとまたあの冷たく硬い表情に戻ってしまうのかもしれない――とも思われた。

だが彼らは、ここではすっかりアンダルシア人の顔になっていた。

別れ際に、この洞窟住居の値段を聞いてみると、日本円で２００万円だった。

「アンダルシアの洞窟群の水準では、少し高いのではありませんか？」

と問いかけると、主人が、

「世間の相場ではそうかもしれませんが、内容をみたら安いもんですよ！」

と大らかに笑った。

パリの住民にも、ここは心休まる住居だった。

スペイン人の日常生活

グァディス滞在中、町中のホテルからいたるところ白い岩肌がむき出しの坂を上って洞窟群に通っているうちに、顔見知りもできた。たいていは家のまえに椅子をもちだして通りをながめている高齢者で、それも男性が多い。みんなスペイン人ばかりだ。

もともとスペイン人は通りや広場、公園など、戸外で時間をつぶす人が多く、友人との語らいのために人待ち顔でベンチに座っている人が多い。

それもほとんどの人が背広にネクタイの正装でやってくるが、女性は溜り場に、冬ともなればミンクのコートなどを着てやってくる。醜い姿ではほかの人たちに失礼にあたる、と考えているのだ。これが日曜日であれば、教会に行った帰りであるから、誰もがベストドレスを決め込んでいる。

教会には一家そろって行くから、帰りに道で遊んでいる子供たちも、結婚式に参列するような身なりをしたまま、公園で砂遊びやブランコに興じているから、あきれてしまう。

さすがに普段は老人ばかりが集まるが、彼らは一時半を過ぎるとみないなくなり、道行く人もまばらである。昼食時間は一家そろって食べるのが習わしだからである。長い昼食とシエスタ（午睡）のあとは、また同じ服装で、同じ場所に戻ってくる。わたしがこの国に棲みはじめたのは１９７０年代の初期であった。その当時は、マドリッドの大通りでも、昼食時間になると通りはがらんとなってしまい、小売り店はもちろん、デパートでさえも1時過ぎると閉まってしまい、夕方の5時になると再開した。

大きなあくびをしながら小売り店のオヤジやおかみさんも、この時間帯になるとシャッターを開ける。

会社勤めのサラリーマンも、学生や子供たちも、デイトに夢中になっている若者も、昼になると帰ってくる。

一家が丸いテーブルに着くと、父親がワインのボトルを器用に開け、みんなについでやる。わたしはそんな生活が好きであった。

だがマドリッドやバルセロナのような大都市では、工場などが拡大されて郊外に移転したりして、昼食に家に戻ることができなくなった。

おまけに外国人観光客が増加したために、彼らの生活形態に合わせるために、デパートも長い昼休みなど、とっていられなくなった。これで都市部のスペイン人の生活は、すっかりかわってしまった。そのことも、都市の生活に疲れ、洞窟に移り棲む人が増えた理由のひとつだろう。

グァディスなどはありがたいことに、昔流の流儀が健在である。男たちは、のんびりと戸口のまえで知人が通るのを待っていたり、ぼんやりと周囲に視線を送っている。

それでも家事を終えた女性は、夏には日陰、冬は陽だまりに椅子をもち出して隣近所の人たちと静かに会話している。

スペインでは主婦たちの会話は、ときに耳をおおいたくなるほど賑やかだが、洞窟に棲む人たちは、もの静かな人が多いことに気がついた。暗闇と光の間を行き来していると、人は深い思考の世界に埋没して哲学的になるせいらしい。

そのなかに、アダルベルト・モンターニョ氏という、細身の70歳ぐらいの老人がいた。

モンターニョ氏の林住期

戸口に椅子をもち出して遠くに視線を送っている彼とは、はじめは挨拶を交わす程度だったのだが、次第に家族のことから彼の人生の軌跡、そして人生観まで語るようになった。孤独な影を背負った彼には、人並みの人生などとはほど遠い、語り尽くせないほどの苦悩を背負っているらしい。

今は独りで洞窟に棲んでいるモンターニョ氏は、奥さんを8年まえに亡くし、病で娘も息子も若くして亡くした。コルドバとバルセロナに息子と娘がいるが、それぞれ家庭をもっているから、夏のバカンスの季節にならないと訪ねてこない。

「8部屋あるから、みんなそろっても大丈夫だよ」

▲洞窟住居の住人モンターニョ氏（グァディス）

そういってモンターニョ氏は、はじめて微笑んだ。彼が没頭したスペイン哲学を聞き出すまえに、ありきたりの洞窟生活を尋ねた。

彼は10年まえに洞窟住居を5万円で購入し、内部の壁の漆喰を塗り直して手を加えた。立地条件と規模にもよるが、現在では1戸平均、日本円で100万円ほどである。

「そのころはまだ水洗トイレなんかなかったから、みんな野外で用を足したものさ。終わったら土をかけておくだけだから、犬と同じだね。今は水洗トイレがついたけど、はじめは戸惑った」

聞き取りをしていていつも驚くのは厠事情である。どの住民も同じように用を足していたが、それでも慣れてくれば快適なのだそうだ。外部の広い空間で用をたすためだとされるが、土に還す行為は、自然の摂理にかなってはいる。

モンターニョ氏に室内をみせてもらった。薄暗く、細い通路を進んでいくと左右に分かれ、ツルハシで掘った階段を上ると左右の部屋のほかに、さほど広くはないがテラスがあった。

８つの部屋には家具はないが、１階の戸口に近い食堂には10人ほどが座れる椅子と古いテーブルがあり、天井の電灯が照らしていた。室内にも通路にも、臭気はまったくない。戸口や煙突が換気していることもあるが、周囲を取り囲んでいる石灰岩が、臭気を吸収しているためだとわかった。

洞窟で本を読むということ

壁をくりぬいた彼の書棚には、20世紀スペイン前中期の哲学者オルテガ・イ・ガセットの書が、５冊ほど収まっていた。

「オルテガの著作集は全部そろっていたけど、熟読を終えると処分したよ。ウナムノやカミロ・ホセ・セラも10年まえにここにくるとき、捨ててきた。寂しい気持ちもあったが、いずれもわたしの体の奥で感じていた書ばかりだったから、捨てることができた。そう思うと、肩の荷がおりたというか、身軽くなった」

彼の断捨離の極意を聞かされた気がした。モンターニョ氏は、ほかにもたくさんの蔵書があったはずだが、すべて処分してきたに違いない。

しばらく沈黙した後で話がつづいた。

「人生は運だというけど、人との出会いや縁も運のうちさ。家内と街で出会ったのも運だし、子供が病死したのも運だと思えばあきらめもつく。

もうひとつは感性というか、センスが人生を決めるんだな」

洞窟に棲むという彼の志向も、感性のなせる業らしい。モンターニョ氏は林住期の真っただなかにあったとみえる。遠くに視線を送ったときの深い眼差しに、彼が負ってきた言い尽くせない人生の軌跡をおぼろげながらも感じたのである。

見おろせる谷底と向こうの丘、はるか遠くの山並みにも、時の移ろいの変化に、彼は今を生きているという触感をしっかりとうけとめている。それだけでなく、己の生命がそっと消えていく覚悟ができていることが読みとれる。わたしなど、まだその心境には達していないのは、宗教がないためかもしれない。

洞窟の中の哲学的生活

古代インドのバラモン教の高僧や賢人は、人生のライフステージを4期に分け、第３期を「林住期」、その後、最後にくる第４期は諸国をめぐる遊行期（ゆぎょうき）として区分していた。ただし第４期は、第３期を全うし、聖者の域に達した人間だけがむかえるとされ、最後まで仏の姿を追い求めて、霊場を訪ねて対話をし、人生を終える。

ちなみに、もの心ついてから、社会に出るまでの第１期は学生期（がくしょうき）。第２期は社会に出てからリタイヤするまでで家住期（かじゅうき）という。

グァディスの洞窟に棲むアダルベルト・モンターニョ氏の場合でいえば、サラマンカ大学で哲学を学んだところまでが、第１期の学生期。１２１８年創立当時の建物も残るヨーロッパ最古の大学のひとつだが、そこで哲学を学んだ彼は、おそらく勤勉な学生だったのだろう。

その後家族をもち、プレパラトリオ（高等学校の大学進学過程）で教師を務めた第２期の家住期をへて、人生に疲れ、家を離れて自分が本当にやりたかったことをやることにした。これが彼の林住期。

林に入って瞑想するのが本来のありかたとされるが、一時的であっても家族から離れ、独りやり残したことをすることによって、今まで出会うことのなかった世界を体験することになる。

それは気ままな遊びであってもよしとされ、多くの場合「旅」がつきもののようである。旅をこよなく愛したゲーテやショウペンハウエルしかり、あるいはあまたのヨーロッパの吟遊詩人またしかり。

イタリアではフィレンツェ、ヴェネツィア、ナポリなどに、カンティンパンカと呼ばれた民衆の吟遊詩人たちが現われたが、彼らも自身の人生の後半を世俗的歌曲で清らかに唄いあげたといわれる。

同じころ15世紀からはヨーロッパにジプシーが現われると、差別をうけながらも、それまでの時代の楽師が務めていた物語の伝承や辻音楽師として、林住期に入った人々にうけ入れられ、もてはやされていた。旅から旅へのジプシーの、ロマンに満ちた日常に生まれた悲しみや研ぎ澄まされた感性は、人を深い未知の淵に誘い込んだはずである。

モンターニョ氏の場合でいえば、第3期と4期が重なり合っているように思われた。それを考えるきっかけとなったのは、

「冬の極寒の季節はもちろん室内から出られないでしょうが、今のような夏とか、戸外でも快適な時期は、夜になると独りで何をしているのですか？　外出したりも

しますか？」

　と、たずねたときだった。

「テラスで物思いにふけっている。ことに満月の夜なんか、あたりは白夜のようだね。体が震えるような、妖艶な世界だ」

「若いときは恋愛なんかも？」

「むろん、そんなときがあったよ。クリスといってね。わたしよりもふたつ下だった。サラマンカの町で知り合ったんだ。

　それはきれいだったよ。笑うとえくぼがかわいかった。結婚の約束もしていたけど、肺ガンで亡くなったんだ。18だったよ。若いと病気の進行も早いんだね。1カ月しかもたなかった」

「…………」

「彼女の母親から連絡があって飛んでいったけど、間に合わなかった。まだ温かくてね。それからしばらくは、何も手につかなかったな」

「でしょうね」

「それからやっと立ち直って8年後に、リサと結婚したけど、彼女もガンで亡くなった。でもクリスのほうは、彼女のその後の人生を見届けられなかったぶんだけ、心残りだね。月夜の夜なんて、クリスのほうをよけい想い出すよ」

「わかります」

「白夜であたりも真っ白の世界で、彼女が現われるんだ。震えるほどいい女だった。まだ18だから、女ではないけどね。

わたしのオヤジにも強烈な思い出があったらしい。それはオヤジから直接聞いた話だけど……内戦のときだったそうだ」

スペイン内戦に関心があるわたしは、思わず膝を乗り出していた。戦場と恋愛。そこには、ストーリー性がいっぱいつまっているのが、常である。

しかも舞台は、この国がふたつに分かれて戦った内戦の激戦地の後方部隊……。

「1937年の6月から7月にかけてだったそうだ。オヤジは当時、サラマンカ大学の学生だったんだ」

「サラマンカ大学のなかには、フランコ軍の前線部隊の司令部がおかれていましたね。たしかカテドラルの正面入口の左斜めの向かい側でしょう?」

「そうだ。よく知っているね」

「ということは、お父さんはフランコ軍側にいたのですね」

「オヤジの身分は学生で、衛生兵だった。リンダという女子学生と出会ったのは、アラゴン戦線のテルエルという町の国際赤十字部隊だった。近くに国際監視団もいたから、まあ安全なところだった。

オヤジは衛生兵だからいつも激戦地に近い部隊にいて、負傷兵を後方の野戦病院に送る任務についていたんだが、彼女と出会ったときは負傷した外国の義勇兵たちの受け入れ準備をしていて、1カ月ほどいた。

出会ったリンダは、バルセロナ大学の学生だったが、彼女は反フランコ側の負傷した民兵に応急手当をしたり、能力が買われて、国際赤十字や国際旅団と連絡をとる役目についていたんだ。

▲モンターニョ氏が学んだサラマンカ大学・フォンセカ学院（哲学部）

でも若いから、夜なんかいつも会っていて、ふたりだけのこともあったらしい。戦場で出会う男女は、明日の命の保証がない同士だから、時間が平時よりもずっと貴重なんだ。それで深い関係になりやすいんだね」

「たしかにそうでしょう。お互いに今を一生けんめい生きているわけですから、生きている証を求めてしまうのでしょう」

「オヤジとリンダの場合もそうだった。ところが彼女のほうは転戦命令がきて、マドリッド方面に移動になった。機密事項だから、〝方面〟というあいまいな行き先で、彼女も詳しいことは知らされてはいなかったらしい」

「それでどうなりました？」

「オヤジは別れ際に、リンダにプロポーズしたんだが、彼女は涙を流しながら、〈平和が戻ったらね〉と言い残して、軍用トラックに載せられて、巻き上げる砂塵のなかに消えていったんだそうだ」

「マドリッドは、反フランコ軍が押さえていましたね。もっとも、向こうに着くまでに、各地で戦闘があったはずですから、無事だったかどうかわかりませんね」

「マドリッドの反フランコ軍の司令部や、彼女の郷里にも手紙を出したけど、それ

▲夕陽に映えるサラマンカ大学カテドラル

っきり。

戦後も3年ほどたって、彼女の母親からオヤジあてに、〈娘はまだ還っていません。もうあきらめています〉という返事があったそうだ。

オヤジの推測では、リンダは反フランコ軍から密命を帯びていて、国際旅団や国際赤十字と連絡をとっていたから、フランコ軍が勝利するまえに、自軍から粛清されたのでは……と言ってたね。

というわけで、リンダとはもうそれっきり」

「すごい話を聞かせてもらいました。あなたの恋人のクリスやお父さんの恋人のリンダにしても、成就できなかった恋のほうが、心に残るのではないですか」

「そうだね。リンダといい、わたしの恋人のクリスといい、負の連鎖が、乗り移っているとしか思えないんだ。わたしのふたりの子供も女房も病死しているしね」

「…………」

「だから近ごろ、月が煌々と照らしている白い世界をベランダで眺めていると、ひとつひとつ脳裏に浮かんで、人間の運命というものを考えるね。すべて神さまがお決めになることだけど運だよ、運」

そういって人生を達観している表情が読みとれた。

――人は独りでいるときが、いちばん美しい――。

そのときわたしはそう思った。同時に、京下嵯峨の草庵「落柿舎（らくししゃ）」にあった芭蕉が、

「独住ほどおもしろきはなし」

と記していたのを思い出した。

それから8年後、グァディスに立ち寄ったとき、わたしは真っ先にモンターニョ氏の洞窟住居をたずねたが、近所の人たちの話では、2年ほどまえに亡くなり、所

有者も変わってしまっていた。

わたしが会ったときのモンターニョ氏は、独りやり残した人生、それは先に逝った人たちを弔う日々だったが、４つのライフステージの第3と第4を同時に生きていたことになる。

もう一つの林住期――アントニオ・モレノ氏の場合

多くのスペイン人は、１日に少なくても1回、ふつうは2回、３回もバールに立ち寄って、１杯のビールかワインをなめるように飲んで、知人たちととりとめもない会話を楽しむ不思議な人種である。自分が人の輪に入っていないと不安になるらしいのだ。

洞窟で知られたグァディスの町にも、何軒もバールはあるが、たいていはきまった店でおしゃべりを楽しみ、彼らの社交場になっている。オヤジはみんな客の名前を知っていて、

「ミゲールはまだ来てないかね」

と聞かれれば、

「今日はまだだから、もうすぐ来るよ」

といった具合である。

わたしははじめてこの町にやってきたとき、1軒1軒たずねて、店のオヤジに、洞窟の住民を紹介してくれるように頼んでいた。

紹介されたひとりが、アントニオ・モレノ氏（65歳）だった。背は低いががっちりしていて、お腹が出て、頭が禿げあがっていた。わたしはひそかに、彼をドン・キホーテの従者サンチョ・パンサの名をとって、サンチョときめた。

サンチョの職業を聞いてみると、

「わしは16のときにアラゴンのサラゴサ（スペイン北東部の町）の叔父さんの家を飛び出してから、30の半ばまで、バガブンド（放浪者）をやっていたんだ。まあざっと20年だな。外国こそ行かなかったが、スペイン中を旅したよ。各地でちょっと働いて小金がたまると、また旅に出て、その繰り返しさ。

食堂の下働きやバールの店員をよくやったな。3食付いているし、部屋代もただだから、大した金じゃなかったが、すぐにたまったよ」

「それでまた次の町へ……。夢がありますね」

「35のとき、トラックの運転を覚えて……それで運送屋をみつけて長距離トラックで各地をまたまわったんだ。結婚？　正式にはしなかったけど、10歳も年上の未亡人とグラナダに棲んだことがある。でも10年しかつづかなかった。

彼女のふたりの息子とうまくいかなかったこともあるが、結局、わしは人と合わせるのが苦手なんだ。適当に距離をおいているほうが気楽でいい。独りでいるのが似合っているんだ」

「それでいつグァディスへ？」

「5年になるかな。ただ同然で洞窟住居を手に入れて、すこし手を加えたから、住み心地も気に入っているよ。今は年金ぐらしさ」

若いとき旅をしていない人は、老いての人生の話題が貧しいというが、わたしはこの町で恰好な人をみつけたことを喜んだ。

「あなたはたくさん旅行じゃなかった、旅をしているはずですが、何が原因ですか？」

「根がバガブンド（放浪者）だから、いつも居場所を探していた。理想の居場所をさ。

親が貧しくて子供のころ叔父夫婦に引き取られたが、居心地がよくなかったんだ。いつも、わしの居所はここではないと思っていたな。

そのうちに探すのではなく、いつも違った空気を吸っていたくなったんだ。旅に出ると、違った食い物、違ったワインと出会って、それをたらふく頂いた。ワインと一口に言っても、どれもみんな違っていて、それぞれ味わいがある。新しい空気を吸うことと同じだよ」

「なるほど。でも今は、グァディスに定住ですね。どういう心境の変化ですか？」

「体力がなくなってきて、しんどくなった。いまは、想像の世界で旅をしているんだ。寝ていても旅をしているよ。けっこう、おもしろい出来事や人間に出会えるんだ」

わたしには、サンチョに洞窟の暮らしは似合わないように思われた。憂いの騎士ドン・キホーテ主従のような奇妙な出来事や人間との出会いもなく、さしたる夢をもった人ではなかったが、アンダルシアやラ・マンチャの風のなかを飄々と行く姿が似合っている。

サンチョはモンターニョ氏のような、中身のある人ではないが、自ら〝放浪者〟と呼ぶように、放浪とはこういうものか、その一例をみたのだと思うことにきめた。モンターニョ氏とサンチョにとっても、旅の最後にたどりついたのが、洞窟だった。人は最後は土に還るからであろうか。

以上、見分してきた4つからなるライフステージのテーマは、いずれも〈人間はどのように生きるか〉である。そして最後は、〈この世からどう去っていけばいいのか〉であり、それは自分自身への解答でもある。

同時に、いかなる時代、時空をへても、東西の違いもなく、人類に課せられた永遠の課題でもあるはずである。

というわけで、はじめは奇異な世界への興味から観察に入った洞窟群だったが、哲学的世界を享受している人もいることに驚いた。それはまた、そっくりと、わたし自身の問題としてうけ容れる機会になったのである。

暗闇に慣れたキリスト教徒

古い知人のスペイン人社会学者が言っていた。

「敬虔なカトリック教徒にとって、カテドラルや教会が、もっとも心の安らぎを得ることができる世界です。イエス・キリストと霊的に繋がっているからですよ。ほの暗い光がステンド・グラスから漏れ入るカテドラルのなかで、光のなかに神の姿を見いだしているのです」

なるほど彼らは、神との対話を終えると、そっと表の木戸を開け、白昼夢の世界へ戻っていく。彼らは元来、光と闇の世界を往き来している人たちだった。

スペインは光と影の国と表現されるように、太陽の国の光は強い分だけ影の方もひどく暗い。実際、建物など遮蔽物が作る影の濃さに驚くことがある。建物のなかから外に出ると、視点が定まるまでしばらく時間がかかるほど、外は白昼夢の世界である。

しかも洞窟のなかの場合は気温は20度で、これは1年を通じて変わらない。したがって、酷暑のころにジプシーがわが家に戻るのは避暑のためであり、冬が間近に迫ると再び舞い戻るのは、避寒のためではあるが、じつは別の理由がある。夏と冬には、戸外の仕事がなく、収入源を断たれてしまうからである。

ある年の夏の盛りだったが、サラマンカのローマ橋の下を流れるトルメス河の河原で、2つの家族がいっしょにキャンプを張っているのを見つけた。それ以後、朝夕毎日河岸にやってきて、彼らを1週間ほど観察しながら、男たちと話す機会をうかがっていた。

彼らは見事な栗毛3頭と黒馬2頭をもっていて、ほかに彼らの幌馬車を曳く白と黒が入ったブチのラバが2頭いた。

見ていると、馬を1頭ずつ浅瀬に連れてゆき、ぬれた布で洗ったあとは、乾いた布で丹念に拭きあげている。1頭に1時間近くかけているのには驚いた。

子供は12歳くらいの娘をかしらに6人ほどが、浅瀬で水遊びに興じていた。みんな褐色の肌をして愛くるしい。そのなかのひとりは、顔はみえなかったが、色が白くて髪は赤に近い栗毛だった。

双方の家族の女たちは川下で洗濯をし、河原の石の上に干していたが、まるで万国旗のように赤、白、黄色、ピンクと色がバラバラであった。色彩に統一がとれていないのは、民族性なのか、個人の資質なのかわからないが、情緒不安定で気まぐれな生活態度が読みとれる気がした。

夜は幌馬車のなかで寝るのではなく、白いテントがふた張り張ってあったから、そのなかで足を伸ばしてゆったりと寝るらしい。夜にローマ橋まできてみると、焚火をしていて香ばしい香りがしたから、町のメルカド（市営の大きな食料品市場）で買ってきた肉かソーセージを焼いているらしい。

旅の途中で、格好の場所を見つけたので、しばらく滞在するらしかった。時間やルールに縛られず、自由の空気を満喫している彼らがうらやましかった。

毎日がキャンピングとハイキングの連続か——。旅の途中で、雨や風に難儀するかもしれないが、もっともこの国では、晩秋か、初冬に2週間ほどまとまって降る以外には、雨が降らない。

元出版社の編集員で、退職後、アンダルシアの海辺のマラガに棲みついた日本人夫婦が呆れたように、

「1年に330日間青天なんですからね……」

と言っていたのを思い出した。

そういえば、わたしのアメリカ時代はカリフォルニアだったし、スペイン時代はマドリッドが拠点だったから、傘とは無縁であった。

いくら自由奔放に生きている彼らであっても、今目のまえにいるジプシーたちにも、晴天の日のほうが心地よいはずで、しかも河原なら文句ない。いくらなんでも、体だけはきれいにしておきたいから、早朝か夜は水浴びするのだろう。

翌日、河の向こう岸近くで、ジプシーの家族のリーダーらしき30代と思しきふたりの男が休憩していたのでまわり込み、

「オラー、ブエノスディアス（やあ、こんにちわ）」

と声をかけてから近づいた。意外にもふたりとも、ニッコリ笑ってくれてホッとした。

「君たちはどこへ向かうのかね？」

ヒゲの男のほうが兄で、

「管理を頼まれた馬を馬主に引きわたしたら、カセレス（南へ２００キロ）に戻る。馬主の家？　ここから10キロだから近いよ。馬主一家は乗馬が趣味なんだ。なにし

ろセビーリャの花祭りに、専用トラックで輸送して、自分たちも参加するんだ」

セビーリャの花祭り。1カ月もつづくこの祭りには、地方の裕福な地主や牧場主も参加する。

白いアラブ馬のアンダルシアンだけでなく、極上の栗毛や黒いサラブレッドもやってくる。騎乗姿の馬主の息子たちは、ツバの広い黒のシルクハットと黒の背広に白い絹のフリルの付いたシャツ、拍車の付いた黒のブーツ姿できめ込んでいる。

彼らのような御曹司たちは花祭りのスターであり、後ろには水玉模様のフラメンコ衣装を身に着けた若い娘たちが、横乗りになっている。みんな祭りを盛り上げる花形役者であるから、衆目の的になる。

件のジプシー兄弟の兄が、

「馬主も息子たちも、夏の間は2カ月間、避暑に出かけているから、オレのオヤジの時代から馬の管理をまかされてきたんだ」

と言った。

カセレスには広大な牛の放牧場や、ドングリやハシバミの林も多いために、生ハムにするイベリア種の黒豚の飼育場がいたるところにある。若いころからわたしの

▲4月のセビーリャの花祭り会場

▲4月の花祭りのスターは、牧場主などの御曹司たち（セビーリャ）

観測点でもあった。

なにしろ人家がほとんどなく、原野には電線もほとんど通っていないから、ひところはアメリカの西部劇映画の撮影にも使われていたのである。

このジプシー家族はカセレスの家に戻ると、秋と春にも旅に出て牧場主をまわり、馬やロバ、ラバの生育状態を見てまわる。

ヒゲの男は、

「オレたち兄弟は、オレが2つ上さ。家族構成？　おたがいに女房と子供3人の5人家族だよ」

「洞窟には棲まないの？」

とたずねてみると、弟のほうが、

「アンダルシアでは洞窟に棲んでいる者もいるらしいけど、穴倉なんか好きではない。それにオレたちには、アンダルシアには顧客の牧場主もいないし、縁がないんだ」

顧客をもてるのは、親の代、あるいはもっと遡ってからの付き合いがある場合がほとんどで、新参者が入り込める余地はないらしい。馬主も見ず知らずのジプシー

▲現在も田舎ではラバが健在

を雇うわけにいかないから、当然だろう。

サラマンカで見かけた兄弟の家族は、馬やロバ、ラバの交配もすると言っていた。

スペインには起伏や瓦礫（がれき）の道が多いから車が使えず、今でもロバやラバの出番が少なくない。グアディスの洞窟群でも、奥地に入るとロバやラバのお世話になるが、

「エサにする穀物や草が手に入りにくいのが困るんだ」

と、言っている洞窟住民がいた。

目のまえにいるこのジプシー兄弟

に、以前から疑問に思っていたことを聞いてみた。馬とロバを交配させて、ラバを生産すると言っていたが、雑種一代で終わりであるから生殖能力はない。

そこで需要があるたびにラバの生産をするはずだが、その場合、オスはロバで、メスが馬だというのは本当なのかどうかである。

兄のほうがニヤニヤ笑いながら、

「ああ本当だよ。ロバのほうが体がずっと小さいから、メス馬の後ろに木の台を置くんだ。地面から台までの傾斜には、ロバが滑り落ちないように、ステップが付けてある」

「なるほど。で、その逆、つまりメスのロバとオス馬の組み合わせもあるの？」

「ああ、子供はできるよ。だけど父親が馬だと気性が荒くて扱いにくいんだ。ラバは馬とロバ双方のいいところを受けついでいるから、どんな坂道でも力強くグイグイ引っ張れるんだ。サイズと体形も荷車にちょうどいい」

そこでもうひとつ、わたしは、気になることを聞いてみた。アラビア科学が西洋で最も輝きを放った1000年もまえ、アンダルシアの古都コルドバで編纂された『コルドバ歳時記』に、

「満月には、動物も鳥類もつるむ。コルドバ郊外では満月になると、馬囲いのなかのメス馬の群れに優秀なオス馬を放す」

と記されているからである。

すると兄のほうが、

「昔からオレたちもそうしてきたよ」

と、あっさり応えた。

日本でも昭和のはじめあたりまで、旧暦の夏の満月には村では盆踊りがおこなわれ、若者は気に入った娘をみつけると言いより、手に手をとって鎮守の森のなかに消えた、と伝えられている。

民俗学の文献にも、〈夜這いは満月の明かりの下で、男衆が娘のいる家にそっと忍びよった〉とある。

海の大潮の現象と同じで、人間も動物も体内に水分をたくさんもっているから、月と地球の間に働く引力が最大になる満月のころに体内も満潮の状態になり、性欲が強くなることが、原因であるとされている。

ジプシーたちがそのことを自覚していたかどうかわからないが、もっといろんなことを聞いてみたくなった。ところが翌朝行ってみると、すでにジプシーの家族はどこにも見当たらなかった。

落胆して宿舎への道を帰りながら、

これもジプシーの特性なのかもしれない――。

と思いはじめていた。昨日の夕方か、今朝早朝に発っていったのだろう。

ところがその日の午後、サラマンカ大学の一角にあるわたしが滞在している宿舎の近くのジプシーの家のまえを通ったとき、いつも挨拶してくれるオカミさんを見かけた。

そこで、

「昨日まで、ローマ橋の近くの河原にいたジプシーの家族のことを知っている?」

とたずねてみた。すると、

「2台の馬車で移動している2家族のことかい?　名前は知らないけど子供がみんなで5、6人いるはずだよ。いつもピカピカの馬を何頭か連れているけど」

という返事が返ってきた。

わたしはうれしくなった。

「そうそう、子供はたしか6人いたよ」

するとオカミさんは、

「そのなかに5歳ぐらいの色の白い、赤毛の女の子がいなかったかい？」

と、思案気にたずねた。

「そういえば、そんな子がいたよ。ほかに、馬は栗毛が3頭、黒が2頭いたけど」

「じゃあ、あの連中だよ。間違いなく」

とオカミさんは自信ありげだった。

「で、その女の子はどうして色が白くて赤毛なの？」

すると、オカミさんは声を落として、

「5年ほどまえだけどね。ある日の早朝、大学とは反対側のローマ橋のたもとあたりに、ピンクの布にくるんだ捨て子がいたらしいんだよ。スペイン人だって噂だけど」

「……捨て子はその子だったというわけ？」

意外な話の展開に慌てたわたしは、その先をたずねた。

「その子を橋のたもとで見つけたひとはいったい誰で、その先はどうなったの？」

「見つけた人は貧しかったから、教会に知らせに行ったけど、あいにく不在で、別の離れた教会に行ったらしい。で、神父とそのひとは橋に戻ったけど、もうどこにも見当たらなかったって。見つけた直後にあのヒターノ（ジプシー）の家族が向かってきたから、多分、拾っていったんだろうということになったのさ」

「警察に知らせなかったの？」

「わたしたちのようなジプシーがからんだ事件には動かないんだよ。警察ってやつは」

オカミさんは、吐き捨てるように言った。

「で、その後どうなったの？」

「数年して、ある人が、いつもいっしょに行動しているあの2家族のなかに、明らかに色が白くて赤毛の子がいることを見て、たしかめたんだって。そうしたら若いオカミさんがカンカンに怒って、〈なんてこと言うんだい。この子はわたしが腹を痛めて産んだ子だよっ！〉で、おしまいさ」

「なるほど……でもいい話ですね」

ジプシーは、子供を大切に育てるという話は聞いていた。たとえ訳ありのスペイン人の子供でも、自分の子供として育てるのだそうだ。

そういわれてみれば、今までにたくさん見かけたジプシーのなかに、肌が白かったり、瞳が蒼いのがいたことを思いだした。グァディスの麓の洞窟に棲んでいて、共同井戸で出会った中年のオバサンがそうだった。肌の色はそれほど白くはなかったが、瞳が水色だったのでいぶかしく思っていた。

旅の道中には、いろいろなハプニングや物語があるのだろう。


それはそうと、サラマンカで会ったあのヒターノ（ジプシー）兄弟は、親から受けついだ牧畜管理の特技を発揮して、この国の原野でまじめに生きていた。彼らのオカミさんたちも、心根の優しい人たちに違いない。そんなジプシーもいることに、新たな感動を覚えたのである。

その後、わたしはサラマンカに行く機会はなくなった。行こうと思えば行けないことはなかったが、〈あの子供の件では、彼らを詮索しないほうがいい〉という気持ちが優先してしまった。以後、わたしはサラマンカへは行ったことがない。

原野に生き、洞窟に生き

スペインは昔から牧畜と農業の国であった。そこでは、馬喰は不可欠な存在である。

牛馬の良し悪しを見分ける目利きと売買の仲介業者の多くはジプシーだが、彼らは裕福なアンダルシアの旦那衆が相手の商売だから、食いはぐれることはない。

だが特技をもたないジプシーの多くは、家族総出で移動しながらオリーブ、サフラン、葡萄、そしてオレンジの収穫期を追って移動する。

仕事がなくても夏の間は、川のほとりのテントや馬車のなかで過ごせるので、洞窟に帰ってこない連中もいるが、凍てついた冬になると身の置き場のない彼らは、冬眠のために何がしかの蓄えをもって、ねぐらに戻っていく。その意味では、彼らの生き様は、蟻や熊に似ているかもしれない。

それでも外国人や、マドリッド、バルセロナのような大都市に住んでいる通常のスペイン人が、別荘の洞窟にやってくるのは、ジプシーのように避暑、避寒のため

▲アンダルシアのオリーブ畑（ラ・マンチャ）

だけではなく、都会の喧騒とは無縁の世界に、安らぎを求めているからというのが、主たる理由になっている。

実際このように都会の住民たちが、別荘として洞窟住居を買い求めようとする、静かな動きがあるそうだ。物をもたないことの快適さが評価され、喧騒のなかの生活に疲れた人間たちが、癒やしを求めていることが現実の姿になっている。

かつては、レコンキスタ（国土回復戦争）によってスペインを追われるに身になったイスラム教徒、盗賊、密輸業者、密入国者などなど、負の社会の人間たちが棲みついた洞窟だった。

それが近代文明の行き過ぎか、資本主義の負荷や矛盾からか、現代人の逃れていった先として、公害もなく、地球を破壊している要因とも縁のない、洞窟住居が見直されてきている。

4

地平線の向こうへ

謎めいた〈ジプシー〉の正体を追って

ジプシーの起源

洞窟や、街はずれのにわか掘立小屋で春の到来を待ちわびていたジプシーたちは、どこへ向かったのか。そして酷暑の夏を再び洞窟で過ごしていた彼らは、今度はどっちへ向かうのだろうか。興味しんしんのわたしは、彼らの後をのんびりと追ってみた。

正体を見つめるのはやさしいことではなかったが、その一端は垣間みることができた。以下はその報告であるが、まずは彼らの起源からひも解くのがよさそうである。

洞窟に居住する主人公たちの一角を占める、ジプシーとはどんな民族なのか。はじめてわたしがスペイン南部のアンダルシア地方に現存する洞窟住居の調査をはじめた1970年代初期、住人の半数以上がジプシーであった。

彼らは異邦人だけでなく、スペイン人との接触を好まず、生活の実態を把握することは困難をきわめた。ひとつには、ジプシーは官憲や通常のスペイン人から敵視されているために、彼らのほうから接触を拒んでいたからである。

そこで謎につつまれたジプシーの素顔をひも解くとなると、まず現在の日本では差別用語とされているジプシーとはどんな民族なのか。その名称が何ゆえ差別とみなされるのか、彼らがヨーロッパに登場するまでの、足跡からみておくことになる。

そもそもジプシー（gypsy）は、政情不安定な北インドやその周辺国からヨーロッパに移動する途中、エジプトに滞在した時期があったことが起源とされる。

なかでも彼らの最大勢力は、北インドとパキスタンからきたインド・アーリア系の移動型民族であった。

言語学からアプローチした研究によれば、彼らの話すロマニー語はインドの古典語であるサンスクリット語に似ていることも、彼らの出身地を推定するうえで、根拠のひとつになっている（アンリエット・アセオ『ジプシーの謎』）。

彼らが国を捨てた時期はまちまちのうえ、諸説あってはっきりしないが、最初のグループがヨーロッパに入ったのは、11世紀とされている。だが記録の上では、ドイツに滞在していたことが最初に確認されたのは１４０７年のことであるから、およそ400年近い時空が流れていた（アンリエット・アセオ『ジプシーの謎』）。

そもそもジプシーとは、エジプト人の英名エジプシャンegyptianの弱音〈e〉が脱落して変化した語とされ、〈エジプトから来た人びと〉〈小エジプト人〉と、解されてきた。現在、英語圏でもジプシーはgypsyである。

スペイン語ではジプシーをヒターノ（gitano）といっているが、エジプト人のエヒプタノ（egiptano）がつまった語であり、フランス語ではジタン（gitan）となり、いずれも外国人による呼び名である。ドイツ語のツィゴイナー（Zigeuner）の場合も、外部者が勝手につけた名称で、当人たちの自称ではない。

ジプシーは差別用語か

移動型と定住型とにかかわらず、ジプシーはヨーロッパで生活している民族名のひとつになっているが、日本では差別用語とされ、放送禁止用語として指摘する向きさえある。彼らの民族名を誤解して〈エジプトから来た集団〉〈小エジプト人〉

とし、第三者が民族名として呼んでいることに起因している。

加えて彼らの行動様式が、通常の規範から外れているために、多くは世間の厄介者あつかいにされてきた。日本でも、一定の地に落ちつかずに、様々な地や職業を転々と渡り歩く人間を比喩するフレーズになっている。

そこで近年日本では、民族名をジプシーに替え、ロマニー語を話す彼らが自称する〈ロマ〉、と言い換えられる傾向にある。

しかし問題は、ロマニー語には60にも及ぶ方言があるうえ、異なる言語を母語とする民族も含まれていることにあるから、〈ジプシー〉を〈ロマ〉というひとくくりにした呼び名に置き換えるのは、ロマ以外の民族を無視し、差別したことになってしまう。

そこで〈民族〉の定義に触れなければならないが、基本的には文化的特徴を基準として、他者と区別される共同体ということになる。それは生物学概念である血縁関係や母語の類似性・非類似性、信仰や伝承などがベースになっているが、当事者たちに個々の共同体への帰属意識という、主観的基準があるか否かが問題になる。

したがって、ジプシーに替わる民族として確立された統一呼称は存在しないことから、本書ではジプシーという表現にとどめている。それだけ彼らの出身地が多岐にわたり、多様な人間集団ということである。

元来、国を出たときから明確な独自の宗教をもたず、旅の途中で長期に滞在した地のルーマニア語、スラブ語の影響を受けただけでなく、ムスリムもいれば、カトリック、プロテスタントもいるという具合に、多岐、多様にわたっている。それだけ複雑でさまざまな生活様式が彼らのなかに存在しているということである。

共通なのは、わかりにくい民族であることも加わって、彼らは異端視されながらも、貴重な文化財的足跡をヨーロッパ、ことに南欧に残していくことになる。

スペインのジプシーたち

ジプシーが東方から入ってきた当時のヨーロッパでは、中世以来、そして近世に入ってから以降もなお、戦争が絶えなかった。そこで、社会から忌み嫌われたジプシーにも熱い目が注がれることがあった。馬の需要とともに、ジプシーたちのもつ家畜の管理技術が高く評価されたのである。

馬の売買を仲介する馬喰、アラブ馬の調教師、アンダルシアの大地主をお得意にもつ馬の目利き、馬の飼育や繁殖技術などに精通していたのは、幌馬車を仕立てた長い旅の途中で身につけた才能とみられる。

元来、彼らは騎馬民族ではなかったが、彼らの移動手段である馬やロバ、馬とロバの交配種であるラバの生産を通じて、技術を身につけたと考えられる。

そこで彼らは、ある時は軍の後方部隊に協力して、自分たちの生活必需品を稼ぎながら一緒に移動したが、管理された軍の組織になじめず、別行動をとって放浪の旅にでた。流れる雲を旅路の友として、花と唄と踊りを愛する自由志向の強い民族であるから当然だろう。

しかし彼らは、統一されたエスニック集団を形成したわけではなく、出身地、母語や方言、性格の一致・不一致などによって、まちまちな小集団であった。あるグループはドイツ、フランスに滞在し、またあるグループはピレネーの東端をかわしてスペインのバルセロナに入ってきた。入った時期は、記録の上では１４２５年である（伊藤千尋『「ジプシー」の幌馬車を追った』）。

時は移ろい、時代は第二次世界大戦まえのことであるが、ドイツではジプシーが人種法の対象となり、ユダヤ人とともに南部ポーランド郊外のアウシュヴィッツ収容所に隔離され、悲惨な結末を迎えた集団もある。

ちなみに第2次世界大戦中に全ヨーロッパで殺害されたジプシーは27万5200人とされるが、ジプシーの人権団体は50万人を超えている、と主張している（伊藤千尋『「ジプシー」の幌馬車を追った』）。

では現在、スペイン全体でジプシーはどれぐらいの人数になっているのか。1999年のデータでは63万人、うち南部のアンダルシアに28・6万人在住ないし内部移動をしている。これはスペイン全土にいるジプシーの総数の45・4パーセントを占めている（久野聖子・論文『マドリッドにおけるジプシーの居住問題』）。

しかし公的に掌握できていない人数も多く、実際には100万、一説には200万人に達しているともいわれるのは、州や市当局の側が彼らを社会外の人間集団とみなしているだけでなく、彼らのほうも公的機関による束縛を避けているからにほかならない。

社会の厄介者

ヨーロッパに入って以来、彼らの謎めいた行動が社会の安寧に有害であるとみなされ、官憲の監視対象になっていた。このことが、よけいに彼らの民族意識、アイデンティティー意識を高める結果に結びついた、と考えられる。

そこで彼らは、郊外でしばらく滞在したり、夏季や冬季に定住するために廃墟や洞窟を探した。洞窟の場合は、市が指定した長期間滞在や定住する場所とみなされることはなく、安住の地であった。

これが洞窟群を住処にしているジプシーの先祖たちである。彼らは旅先では、ハリネズミや野ウサギ（スペインでは穴ウサギ）と米を一緒に調理した（ジョルジョ・アウセンダ『あるジプシーの生活』パリ、１９７７年）。

スペインは古代ローマの言語ラテン語では「イスパニア」となるが、「ウサギが多い土地」という意味になる。原野のいたるところに穴を掘って生息しているから、容易に捕獲できた。

日本では、最も多く車に轢かれる動物はタヌキだと聞いたが、スペインでは圧倒的に多いのがウサギである。実際、郊外に車で出かけると、必ず遭遇するのが哀れな轢死体である。

彼らの行動原理

では未知の世界をめざして、荒野の風のなかを行くジプシーの行動原理は何か。そこには非日常の現象との出会いが多いために危険を避け、幸運をもたらす方角が求められていた。

敵対する部族や狼はいないか。食料が調達でき、冷たい泉の水と出会えればよいが、なければ川のほとりにでるか、収穫期をむかえた農園主と出会えるか。長期滞在できる廃屋や洞窟はあるか。

こうした背景には、それぞれの人間集団のなかの女占い師のカードの組み合わせによる占星術の存在を指摘する研究者は多い。

そこには、彼らが北部インドの周辺国を出立してヨーロッパまでの、長い年月の旅路の途中で体験したあらゆる事象が体験的に蓄積されている一方で、星などの組み合わせによって、運勢に支配されていることもうけ容れたと考えられる。そこで占い師とは別に、長老の体験による判断が優先される場合もあった。

太陽系のなかの太陽や月、惑星の位置や動きと、地上の事象、人間社会のあり方を経験的に結びつけて決定されたが、科学的態度といえる場合もあった。

そこでは、必然的に観察力がものをいい、結果的に薬草に精通し、彼らの流儀による医術も身につけていると指摘されている。

文学・芸術の世界に登場するジプシー

周囲から忌み嫌われてきたジプシーだが、異なる見方も現われた。一七世紀初期、『ドン・キホーテ』を書いたセルバンテスは、『模範小説集』の短編『ジプシー娘』のなかに登場させている。

作者は冒頭からジプシーを〈男も女も盗っ人になるために生まれてくる〉と切り

捨てる一方で、〈彼らはふだんは人里離れた森のなかで自然に囲まれて暮らす〉と、自然流に生きる彼らを賛美する視線で描き、彼らにこう言わしめる。

「わしらは野原の、畑の、森の、山の、泉の、そして川の主である。山野はわしらに無料で薪をもたらし、樹木は果実を、ぶどう畑はぶどうを、畑は野菜を、泉は冷たい水を、川は魚を、狩猟地は鳥獣を、大きな岩は涼しい日陰を、谷間はさわやかな涼気を、そして洞穴は住処を提供してくれる。

わしらジプシーにとっては厳しい気候は心地よいそよ風、雪は凜とした冷気、雨はシャワー、雷鳴は音楽、稲妻は松明なのじゃ」

そして物質的な富を求めず、俗世間のわずらわしさから解放されている姿を、セルバンテスはこう描く。

「わしらジプシーには名誉を失うという気遣いもなければ、それを高めようという野心にかられて、あくせく思いわずらうこともない」

憂いの騎士ドン・キホーテを登場させ、悪の巨人と見立てた風車に槍で挑んでいく行動を、国家権力への反抗として描いた反骨の作家は、ジプシーの生きざまを称賛さえしているのである。

ラ・マンチャで出会った家族

春、歓喜の声に沸きかえる大地を一歩一歩踏みしめながら、何処へともなく消えていった方角のあたりを、暖かい陽光が、いつまでも見送っていた。あとには、ただ物憂げな静けさが漂うだけであった。

それから4カ月。盛夏の時季に入って、移動型のジプシーは、洞窟のわが家に帰還する。日雇の農作業のような戸外の仕事がないから、洞窟に帰って静かに暮らすよりほかはない。

彼らは、たいていは7月に洞窟に戻ってくるが、なかには8月初旬にずれ込む一族がいる。牧場で牛追いや馬の調教の仕事が残っていた残業組である。

彼らは馬車に金盥(かなだらい)やテントなどの生活用具を積んで故郷に向かっているが、そのときには、春に出て行った方向とは、逆の方角から戻ってくる。

まるで蜜蜂のようにぐるぐるまわりながら、新しい人生を追い求める彼らが、同じ道を引き返すことを嫌うのは、敗北を意味するからだそうだ。

越冬地を出たその後の彼らの生活が気になっていたのだが、初夏のころ、わたしがラ・マンチャのひまわり畑の撮影に夢中になっていたときのことだった。黄金の海の中に1台の幌馬車が停まっていて、馬車の陰には、ジプシーの家族が休んでいた。色の浅黒い目つきの鋭い中年の男のはだけた胸に金のクルスが光っている。信心深い男のようだ。

男の横には年のころ30半ばと思しき、髪の長い女が無表情で遠くを眺めていた。その女の胸には、赤ん坊がとり付いている。

見ると、母親の足元には、13歳と12歳だという娘がふたりシエスタの最中だった。その奥には、16～17と思しき娘も、薄目を開けてわたしのほうに視線を送っている。

このような場では、男の方に話かけるほうが、入りやすい。亭主のいる女は、亭主に遠慮して口を開こうとしないからである。

「やあ、どこまで行くのかね！」

男は少し表情を緩めると、

「西の方だ」

と一言、言っただけだった。

「何を生業にしているの？」
「秋の収穫期まで、まだ間があるし、シウダ・レアルにでも行ってみようと思っている」

そこはアンダルシア北方の、ラ・マンチャのど真ん中の町である。シウダ・レアルに行けば、何かにありつけるという目論見らしい。

ジプシーがグループに入らず、一家族だけで行動しているのは少し変である。何かの掟を破り、村八分になったのかもしれない。これでは、農繁期になってもこれしきの人数では、雇う方も雇いにくい。

だが馬車のなかには、ちょっとした工具が積まれていた。わたしがそれを見つめていることに気がついた男は、
「仕事がないときは、鍋・釜の修理や、大工仕事もやるんだ」
と応えた。

仲間からはずれた連中は、仕事を探すのが難しい。かといって、彼らは一向に気にしない様子である。今はひまわり畑の真ん中で休憩しているだけだが、川の畔に出ると、たいてい寝泊りするそうだ。話の様子からすると、洞窟の住民でないこと

は明らかである。

シエスタから目覚めた娘たちは意外にも人懐こい娘だった。わたしに興味をもったらしく、盛んに聞いてくる。

「へえ、日本！　それってスペインのどこ？」

「子供は何人いるの？」

「どうして、独りなの？」

若い娘たちは好奇心旺盛である。

日が西に傾きだしたので男が立ち上がった。目の上に日除けを乗せ、三度笠のような日除けの帽子を被せられた黒いラバが曳く荷馬車は、出発していった。

こんがりと焼けた素足の娘たちが手を振っている。娘たちは顔を寄せ合って笑いこけながら、いつまでも手を振っている。

荷馬車はゴトゴト左右に揺れながら動きだすと、荷台に括り付けられた金盥(かなだらい)がガタガタと音を立てながら揺れている。男とおかみさんは、遠くを見つめたまま振り向かなかった。

それまで何処にいたか気がつかなかった2頭の黒い犬が、ヨタヨタとあとを追っている。どうやら、馬車の陰で寝そべっていたらしい。大半のジプシーたちは犬を飼っている。

マイクロバスで移動している一族は別だが、馬車で移動する場合は、犬を荷台に乗せるようなことはしない。けっして甘やかさないのが彼らの流儀であり、犬には厳しい掟を守らせている。

彼らが愛するのは、犬と花、そして唄と踊り。「願わくは花の下にて春死なむ」こそ、彼らの求めるロマンチシズムの終着駅らしい。手を振っていた娘たちもだんだん小さくなり、やがて大きな日輪の中に馬車は吸い込まれていった。

彼らが向かったシウダ・レアルまでは、今日中に到着できる距離ではない。どこか小川の淵か、眺めのいい丘の上に停めて、今宵の夢を貪るにちがいない。

「月日は百代の過客にして、行き交ふ年も又旅人なり」

富と社会ルールを避け、自由な行動と「ゆっくり」が生活信条の彼らこそ、漂泊の哲学の実践者にみえたのである。

あとがき

今日、浮世離れした人間たちがいることが話題になっている。世間は広いというべきかもしれないが、21世紀の現在でもスペイン南部、アンダルシア地方の洞窟に棲む人たちのことである。しかも近年、現代文明に疲れたロンドンやパリの住民たちのなかにも、この地に棲みついた人たちがいることは、どう捉えればいいのか。

「文化とは本来、奇異にして不合理なものである」と言ったのは文化人類学者の梅棹忠夫であるが、洞窟の住民たちはたしかに一見すると、奇異にみえる人たちである。しかし今のようなときだからこそ、人は違う次元の世界を垣間見ても、いいのではないだろうか。

〈人生を急ぎすぎてはいないか？〉〈ときには、ふと立ち止まってみてはどうか〉という、強烈なメッセージをわれわれに送っているようにみえるからである。

奇想天外な世界に棲む奇人たちの戯言（たわごと）と一笑に付すまえに、すこしの時間、立ち止まってみてほしい。そこには、鬱屈とした毎日を跳ね返すパワーと、すがすがしさを感じることができるはずである。

２０２１年９月　　太田尚樹

著者紹介

太田尚樹
1941(昭和16)年、東京生まれ。作家、東海大学名誉教授。専門は比較文明史。『コルドバ歳時記への旅』『アンダルシア パラドールの旅』『ヨーロッパに消えたサムライたち』ほか著書多数。近年は、『満州と岸信介』『尾崎秀実とゾルゲ事件』など、昭和史関連の著作も多い。
アンダルシア地方の山岳地帯にいまも暮らす「洞窟の民」たち。なぜ洞窟をその棲家に選び、どのように暮らしているのか。その生き方が伝える"鬱屈"を跳ね返すヒントとは——。40年にわたり現地で調査した結果を本書で初報告する。

アンダルシアの洞窟(どうくつ)暮(ぐ)らし

2021年9月30日　第1刷

著　　者　太(おお)田(た)尚(なお)樹(き)

発 行 者　小澤源太郎

責任編集　株式会社 プライム涌光
電話　編集部　03(3203)2850

発 行 所　株式会社 青春出版社
東京都新宿区若松町12番1号 〒162-0056
振替番号　00190-7-98602
電話　営業部　03(3207)1916

印刷　三松堂　　製本　大口製本

万一、落丁、乱丁がありました節は、お取りかえします。

ISBN978-4-413-23221-0 C0095